31 明代
西元 1368～1643年 [注音本]

全新 吳姐姐講歷史故事

吳涵碧◎著

目錄

【第667篇】

王老虎奉旨討飯。

關於劉伯溫初見朱元璋，在民間傳說之中，還有這麼一段有趣的故事：話說朱元璋起兵之初，爲了籌措經費，曾經傷透腦筋，還是沒有著落。有一天，艷陽高照，炎暑逼人，他信步走過路旁，見到有人在賣酸梅湯，一碗下肚，涼沁脾胃，甜酸適度，含在嘴裏，簡直捨不得下嚥。喝完一碗，他忍不住又喝了一碗，天熱口乾，酸梅湯確爲解渴妙品。朱元璋忽然靈機一動，不如把安徽鳳陽的烏梅運到襄陽去賣，定可賺一筆。烏梅是鳳陽的特產，果實又大，價格又便宜，不但能製酸梅湯，而且是中藥中極佳的一味藥材。

主意已定，朱元璋歡天喜地一下子收進了整整三千擔上好的烏梅。到底是沒經驗，烏梅買入以後，這才想到，該如何運到襄陽去呢？

朱元璋來來回回在碼頭上踱來踱去，一位船老闆見朱元璋的模樣，似乎不像是做生意的行家，試探地問：『客倌，有貨要運？』

『是的，我有三千擔烏梅，想要運到襄陽去。』

『那你可是找對了人。我叫王老虎，有艘好船，還有得力的船工，包準不誤事。』

『噢，那正好，請問，船錢怎麼算？』

御筆奉旨
討飯

『這個，算你便宜，三十兩銀子一天。』

朱元璋心忖，一天三十兩，倒不算貴，就不知道，到襄陽要多少天行程。

王老虎一向精明，見朱元璋楞頭楞腦，看來是個大外行，有意狠狠敲一記竹槓，他煞有介事的一掐指頭：『起碼三個月。』

『三個月？』朱元璋大吃一驚，三個月九十天，一天三十兩銀子，豈不是要兩千七百兩銀子，而且，三千擔烏梅，壓在船上，到了襄陽，豈不會成了梅乾，誰還要？

於是，朱元璋堆了滿臉笑容，央求王老闆：『這樣吧，我希望一夜工夫趕到，船錢可以加倍。』

其實，朱元璋心裏也清楚，一夜到不了襄陽，他只是找個台階下，然後就揮手道再見。

豈料，王老虎嗓門特大，馬上就嘩啦嘩啦叫開了：『一夜到襄陽，開玩笑，你下巴托托牢再講笑話，若是一夜能到得了襄陽，行，我船錢奉送，一個錢也不要。』

朱元璋正尷尬著，忽然，旁邊閃出一位白面書生，手裏拿著一只小銅鈴，笑嘻嘻地走過來，一拍王老虎的肩道：『君子一言出口，駟馬難追，一言爲定！』

原來這位文雅的書生正是劉伯溫。他轉身對朱元璋說：『快找幾個幫手，把三千擔烏梅給扛上來。』

王老虎心想，好，反正貨上了船，這筆生意就跑不掉了，難得今天遇上一隻大肥羊。

至於朱元璋，三千擔烏梅已經買下，也非運走不可，不容他遲疑，他當然不敢指望一夜到襄陽，只祈禱千萬別拖到三個月。

說也奇怪，劉伯溫手搖小銅鈴，口中唸唸有詞，不一會兒，如孔明借東風一般，當天夜裏，起了超級颶風，就這麼一路颳到了襄陽，完全不費吹灰之力。

第二天清晨，王老虎一覺醒來，竟然已到了襄陽，嚇得直揉眼睛，以爲自己在做夢，急著尋找劉伯溫，劉伯溫神閒氣定道：『王老闆，說好的一夜到襄陽，船錢免了！』

王老虎氣壞了，但是，有言在先，只好認倒楣了。

朱元璋歡天喜地把烏梅卸下，因爲烏梅新鮮，顆粒又大，馬上找到了要貨的中盤，著實狠狠賺了一票，又結識了劉伯溫，一舉雙得。

做了蝕本生意的王老虎，嘔得說不出話來，由於心情欠佳，脾氣日益暴躁，到後來，船工都跑了，船隻也賣了，他就拿著劉伯溫留下來的小銅鈴，當了個要飯的乞丐。

如此春去秋來，一晃十五年過去了，朱元璋當了明朝的皇帝。有一回，與劉伯溫微服探訪，到了一家茶店落腳。劉伯溫眼尖，一下子就認出了眼前的老叫化。

劉伯溫把王老虎叫到跟前，對他說：『你還記得十五年前，托運過一船烏梅？』

王老虎對著朱元璋仔細一瞧，開始破口大罵：『你這個混蛋瘟賊，壞了我的運氣，害我討了十五年的飯，我揍你！』說著，他掄起了拳頭便要衝上來。

朱元璋身旁便衣隨從趕緊圍了上來，準備捉拿王老虎。朱元璋倒也不以爲意，他哈哈一笑：『你老人家，討了十五年飯，脾氣倒沒改。』『說起來，我當年靠烏梅起家，你也助了一臂之力，來來，我們去皇宮敍敍舊。』說罷，拉著王老虎，回到宮裏。

王老虎到了皇宮，見人人都神情肅穆，拘謹得很，一點也不好玩，還不如他當乞丐自由自在、快樂逍遙，他對朱元璋說：『謝謝你的好意，我呢，還是回去討我的飯。』

劉伯溫也在旁邊勸說：『人各有志，萬歲爺不必勉強。』

朱元璋總覺得應該有所表示，他就半開玩笑，寫了一道聖旨『奉旨討飯』。

王老虎接過聖旨，順手穿根繩子，往脖子一掛，照樣搖著銅鈴，沿街討飯去了。

這一下，王老虎可抖著了，凡是看到『奉旨討飯』四個字的，都對王老虎十分慇懃，王老虎的子子孫孫，也都掛著一塊硬紙牌，學他的樣。

從此以後，凡是討飯的，脖子上都有這麼一塊玩意兒，成爲一種風俗，而且頗以此自豪，似乎擺明了奉旨討飯，你做主人的，也不好讓我空手而歸吧！

當然，王老虎的故事也只是一段傳說而已。

閱讀心得

【第668篇】劉伯溫講獼猴的故事。

朱元璋自從得到劉伯溫以後，如獲至寶，劉伯溫精通天文象數，擅長詩文辭賦，而且爲人正直誠懇。

每逢機密大事，朱元璋必找劉伯溫赴內室密談，劉伯溫知無不言，言無不驗，料事如神。朱元璋總是以『先生』稱呼他，人前人後誇讚『伯溫有如我的張子房』，張子房即張良，劉伯溫與朱元璋的親密關係，也好比張良與漢高祖劉邦。

劉伯溫一方面爲朱元璋運籌帷幄，一方面又想盡辦法開導朱元璋，他所用的教材就是當初隱居在青田山中，閉門寫作的《郁離子》上下二卷。《郁離子》中有許多寓言故事，相當地有趣，譬如〈狙公篇〉是朱元璋頂喜歡的一則：

從前，在楚國，有一位養狙爲生者，楚人稱之爲狙公，狙音『居』，獼猴也。

狙公每日一大早，必然把一大群猴子召來訓話，然後由一隻老猴帶隊，浩浩蕩蕩，赴山林摘取果實。

這片原始深山，處處枯藤老樹，奇花異草，修竹喬松，而且果實纍纍，有芳香味酸的梅子、肉甜皮薄的龍眼、核小囊紅的荔枝，以及胡桃銀杏、

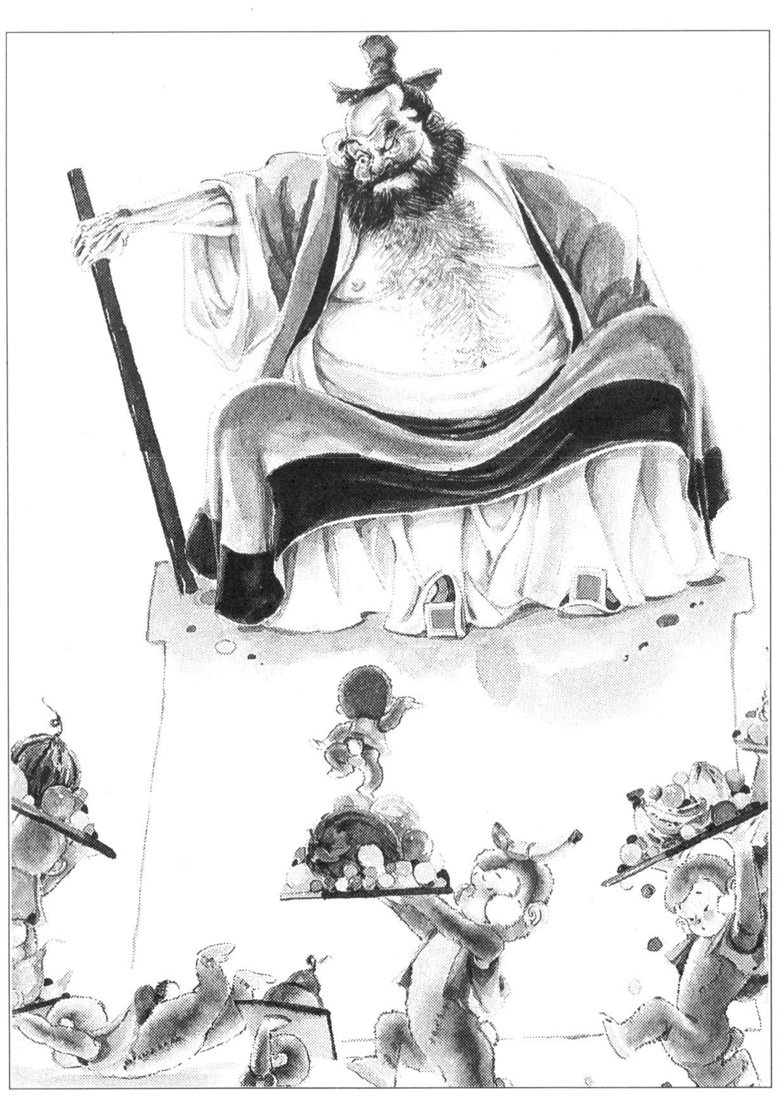

椰子葡萄，林林總總不一而足。

可是，猴們卻無福消受，牠們奔上跳下地忙碌摘取，一直到太陽西下，才疲憊萬分地走上歸途。

一回到家，睡了整天懶覺的狙公，早已拿著戒尺，站在庭上，等著驗收成果。根據狙公的規定，眾猴可以留下十分之一自用，其他十分之九必須繳給狙公。

如果這一天成績不錯，眾猴還可以得到一只香蕉，一個柿子，祭祭五臟廟。若是遇到水災旱災，收成不佳的季節，眾猴可慘了，狙公的規矩可是很嚴的。

他只要一見眾猴抬進來的果實不多，立刻咄的一聲，跳下高台，指著眾猴罵道：『你們這群臭猢猻，膽子好大，竟敢偷懶！』然後，拿著戒尺，到處亂揮亂打。打了一陣，狙公就背著手，走入屋內，把門關了。眾猴個個掩面悲啼，搗著屁股喊疼，可憐的小猴子，紅屁股被打得紅通通的。

由於狙公管教嚴格，眾猴在工作之時儘管又渴又饞，誰也不敢偷吃。

那一隻猴子稍微停頓，老猴厲聲一喝，眾猴嚇得伸頭縮頸，加緊摘取。

有一天，一隻小猴兒撲地跳下樹來，猛搖著手：『各位，我有個問題，這山上的果實，可是狙公種植的嗎？』

眾猴抓耳撓腮，吃吃地笑著：『當然不是，這些都是天生的。』

另有一隻猴兒接口：『狙公他不會種樹，他只會睡大覺。』

『還有，他會把我們剝皮剉骨！』

不知是誰接了一句，眾猴長嘆一口氣，繼續努力採集，太陽好烈好毒，卻誰也不敢稍歇。

小猴兒又朗聲問道：『這森林，難道有規定，除了狙公不得摘取？』

眾猴又哄堂大笑：『盡是些個蠢問題，誰有本事，誰就可以摘食啊！』

小猴兒縱身一跳，翻了一個觔斗，興奮地說：『奇怪，那麼，我們為什麼要白白受他的奴役？』

小猴兒這一問，有如石破天驚，把眾猴都喚醒了，牠們從來沒有想過這個問題，每天只是機械地被狙公驅使，連一向派來管眾猴的老猴也鼓掌哈哈大笑，『好猴兒！好猴兒！不料你小小年紀，比我們都有用！』

眾猴們樂得個個把身一聳，打了個懸空觔斗，跳離地有五六尺，牠們決定離開狙公。

當天晚上，眾猴還是與平常一般，拖著一大簍果實回家，乖乖地聽訓話。

到了夜深人靜，眾猴曳步近前，側身入門，見狙公蜷曲著身子，朝向裏面睡得好沉好沉，還發出極大的鼾聲。

『好極了，狙公做夢也料想不到我們會溜。』

眾猴歡天喜地把柵欄給拆了，搬走狙公囤積下來，準備拿到市場去賣的果實，正要走時，有個調皮的猴子說：『待我留點兒紀念品。』於是，他在柵欄下面，對著柱子，撒了一泡騷尿。

眾猴趁著月色，開開心心奔向山林，從此以後，眾猴食草木，飲澗泉，採山花，覓果樹，與虎豹爲群，獐鹿爲友，夜宿石崖之下，朝遊峰洞之中，好不快活。

到了炎炎夏日，躲在松蔭下玩耍，捉蝨子，理毛衣，剔指甲，打打鬧鬧，你推我扯，充分享受自由的快樂。

至於狙公，第二天一大早，哨子吹了半天，也不見衆猴集合，正要發火，訝異地發現，猴子全不見了，更糟糕的是，柵欄裏的果實也全搬了個空，只有一股難聞的猴尿臊氣，狙公眞是氣壞了。

狙公除了會教訓猴子，別無其他本事，沒多久，狙公就餓死了。

劉伯溫這則寓言故事，主要是闡明他的政治思想，他認爲天地萬物與人的關係是密切的，天雖然是萬物的主宰，把萬物賜給人類，但是，天不能直接治理人民，必須託付給一位君主，這位君主就應該了解天的意志，好好地利用萬物，好好地統治人民。

好的君主，譬如良醫，可以治病，壞的君主，有如庸醫，會使得病入膏肓。所以，君主不能竭澤而漁，欺騙人民，奴役人民，否則，便會如狙公一般，落得被老百姓唾棄的命運。

閱讀心得

【第669篇】徐壽輝與陳友諒。

劉伯溫投奔朱元璋以後，開始盡心盡力爲他策劃日後大計。

劉伯溫懇切地對朱元璋說：『用兵應該條理分明。張士誠胸無大志，不足爲慮，陳友諒軍隊精銳，疆土最廣，野心最大，應該設法消滅。若是把陳友諒打垮了，張士誠一舉可定，然後，北向中原，王業可成。』

朱元璋高興地猛搖劉伯溫的手道：『先生妙計，佩服佩服，從今以後，仰賴先生多多指教。』

張士誠原是私鹽販子，因爲殺了仇家，被逼上梁山。

至於陳友諒，本是徐壽輝的手下，徐壽輝會起來搞革命，還眞是誤打誤撞。

徐壽輝原來是個跑單幫的布販子，長得英俊瀟灑，魁梧奇偉，像戲劇中的男主角。天下大亂之際，妖僧彭瑩玉起事，自稱能用泉水治病，而且，果眞醫好了不少病患。他聚集了五千多人，自稱國王，國王的癮頭沒嘗多久，竟然被元朝官兵給殺了。

剩下的五千多人倉皇逃命，逃到了淮西，彼此商量，若是解散，有些不甘心，而且也害怕自己的名字已列上了官府的黑名單。

假如繼續幹下去呢？缺少一位領袖。大夥兒正在愁眉不展之時，遠遠

張記

見到一布販，正在拿著皮尺量布。

這布販長得濃眉大眼，模樣好俊，而且個兒挺拔，比一般人高出兩個頭。『你們看，那布販相貌不凡，不似一個賣布的。』衆人一致望去，無不頻頻點頭：『還眞是相貌堂堂，像個領袖人才。』

由於急著找個帶頭的，衆人草草商量，便一致認定他就是理想中的人選。

大夥向前詢問，方知布販姓徐名壽輝，做個小生意餬口，由於遭逢戰亂，景況不佳，他聽說衆人要擁他爲王，先是大吃一驚，等到有幾個人忽的下跪喊道：『皇上。』他幾乎以爲在做夢。

徐壽輝把食指放在嘴裏，用力地一咬，『哇！好疼。』看來是眞的了。

他想，平白無故天上掉一個皇帝下來給他當，這事兒倒也不壞，也就無可無不可，被衆人拉拉扯扯，當上了皇帝，撿了一個現成的便宜。

憑他一個普普通通的徐壽輝，實在不足以服衆。爲了增加徐壽輝的威望，衆人便編出一套『體有赤光』的神話，國號天完，年號治平，正式即位爲皇帝。

過了沒有多久，天完軍的疆域擴充到湖南、江西。天完軍專門搶奪元朝官府的金帛，對一般百姓則秋毫無犯，軍士們口中不斷地唸著『阿彌陀佛』，於是，天完軍極得人們的擁護。

陳友諒則是漁家子弟，家裏很窮，原本姓謝，由於祖父入贅陳家，也就跟著姓陳，他年少時，讀了一點書，略略認識幾個字。長大以後，在縣衙門裏當個小吏，過著吃不飽也餓不死的平淡日子。

陳友諒小時候，曾經有個江湖術士，指著陳家祖先一塊墓地，鐵口直斷：『這是難得一見的七星伴月，藏風聚氣，地勢開闊爽朗，大吉大利，後代子孫必然當貴。』

風水先生這番話，陳友諒始終牢記在心，從小他就認定，將來，終有一天，他是要發的。

當陳友諒長大了，到縣府裏當個小吏，掌管文書，他總覺得委屈了，每天自怨自艾。徐壽輝起事傳來，陳友諒就前往投奔，不甘心被埋沒，辜負上好的祖墳。

陳友諒懷著一肚子的野心，在軍中立了戰功，擔任領兵元帥，找了機會，殺掉徐壽輝，迫不及待地，在采石一間破廟裏，即皇帝位，改年號爲大義，國號漢。

就在劉伯溫建議攻取陳友諒不久，陳友諒親自帶領水陸大軍，自江州順流東下，準備一舉殲滅朱元璋的勢力。

朱元璋召集部將前來開會，其中一名部將道：『據說陳友諒擁有幾百條戰船，單單聽戰艦的名稱混江龍、塞斷江、撞倒山、江海鰲等，就知道不好惹。』

『我看，我們不如早日投降吧。』另一個部將說。

『或者，不如先退守鍾山。』又一個部將說。

眾人七嘴八舌，綜合各方的意見，都是三十六計走爲上策，避開陳友諒的攻擊。

朱元璋見一個個嚇得魂不附體，覺得十分洩氣，只有劉伯溫瞪大了眼睛看著大家，緊抿著嘴唇，不發一言，樣子有點兒可怕，似乎在強忍著極大的怒氣。

朱元璋了解，劉伯溫一定是有話要說，卻又不方便說。他匆匆結束會議，拉著劉伯溫赴內室密談。

劉伯溫坐定以後，第一句話就是：『方才主張要投降或出奔的人都該斬！』

朱元璋一聽，大為振奮，忙問：『依先生之計，該如何？』

『陳友諒是一個極為驕傲的人，驕兵必敗，等到他大軍深入，我們用伏兵偷襲，以逸待勞，成就霸業，在此一舉。』劉伯溫堅定地說。

朱元璋撫掌大笑：『好！就聽先生的，你也不用爲剛才的事動氣了。』

【第670篇】鄱陽湖大戰。

朱元璋與劉伯溫在密室商量了半天，認爲面對陳友諒這個超級強敵，投降不是辦法，逃走更不是辦法。最好的策略是爭取主動，引誘陳友諒前來，以逸待勞，讓陳友諒落入陷阱之中，在應天府這兒一舉殲滅。

那麼，如何才能把陳友諒勾引過來呢？有了！朱元璋部將之中，有一個名叫康茂才的，曾經是陳友諒的好朋友，茂才家裏的老門房也伺候過陳友諒，不如走這條線。

康茂才立刻磨硯濡筆，親自寫了一封信，交給老門房，並且詳詳細細指示一番。

老門房也很機伶，十分擅長演戲，他來到陳友諒營中，一見面就下跪行禮，講了許多讓陳友諒心花怒放的話。

『未來的天下，還不是您的！到時候別忘了我們。至於朱元璋，一個臭和尚，能起什麼作用，他要和你打，等於是雞蛋碰石頭嘛。』

陳友諒心裏想的，恰好與老門房一模一樣，他笑嘻嘻地問道：『老康，現在在臭和尚那兒擔任什麼職務？』

『康公在駐守江東橋。』老門房請陳友諒拿來紙筆，一面畫地圖解說，一面不斷透露軍情，直聽得陳友諒頻頻點頭。

『那麼，我該如何與老康取得聯絡？』

『很容易，你到了江東橋，喊老康，他自然會來接應。』

『江東橋可堅固？』

老門房輕蔑地回答：『不過是個木橋，自那兒上岸，再合適不過了。』

陳友諒爲了感謝老門房帶來如此珍貴的情報，招待了他一頓上好的酒菜，老門房才告辭。

老門房回來，一五一十描述一番，朱元璋大喜：『奇怪，陳友諒的腦袋怎如此簡單？』立刻下令把木製的江東橋，連夜趕工，改成堅固的鐵石橋。

過了三天，到了陳友諒與康茂才相約的時日，陳友諒信心十足，抱著甕中捉鱉的愉快心情，率領水軍，欣然前往。

他先到了大勝港外，只見到處布防嚴密，心想，老門房的話不假。繼續前進，尋找江東橋，找了半天，果然隱隱約約可見『江東橋』三個大字。仔細一看，明明是個石橋嘛，老門房為何說是木橋呢？

陳友諒疑惑不定，到了橋邊，輕聲呼喚：『老康，老康！』喊了半天，沒有回音，陳友諒雖然有些失望，卻並不著急，繼續向前行駛，直到龍江口，他又扯直了嗓子喊：『老康！』還是沒有回音。

忽然間，山上黃旗招展，朱元璋的伏兵齊聲吶喊，把陳友諒的水軍團團圍住，山上的箭像雨點般射向江中，兩岸的蘆葦中又冒出不少兵船，上下夾攻，讓陳友諒慌了手腳，陳友諒的部隊大多被射死或淹死，陳友諒還算機警，跳上一艘小船飛馳而逃，撿回一條命。

陳友諒被康茂才擺了一道，氣得吃不下飯、睡不著覺，每天暴跳如雷，日日夜夜思索，該如何報仇雪恥。

緊接著，朱元璋軍隊先攻安慶，再下江州，據有蘇皖浙贛四省，陳友諒氣急敗壞，趕工製造特大號戰艦，塗著大紅色的油漆，上下共三層，每層有走馬棚，上下層說話都聽不見，載著百官家小，號稱六十萬人馬，浩浩蕩蕩沿長江而下，直入鄱陽湖。

陳友諒的『超級戰艦』又高又大，聯舟佈陣，朱元璋的小船，要仰著頭才看得見敵人，而且只有二十萬人馬，雙方兵力懸殊。

朱元璋面對巨艦，心中也有些膽寒，他沉著地下令：『把水軍分成二十隊，每隊帶著火箭弓弩，一起駛近敵船，先放火箭，等到起火燃燒，再發硬箭。』

朱元璋用的是敢死隊的方法，衝入敵陣，點起火來，和敵方幾百條戰艦同歸於盡。這種戰法雖然冒險，卻很有效，當敢死隊的小船靠近戰艦，便發火弩，戰艦原是木造，被火弩點燃，立刻烈焰沖天，湖水盡赤，陳友諒的弟弟陳友仁、友貴都被燒死了。

接下來是白刃戰，朱元璋的敢死隊和後援士兵，敏捷地跳上戰艦，短兵相接，喊殺震天，從這船跳到那船，頭頂上火箭砲石齊飛，眼前一片火光，一團刀影，湖面上漂流著死屍，掙扎著傷兵，耳邊是轟隆的石砲聲，噼叭的火爆聲。

陳友諒遠遠見著朱元璋，大叫：『快，朱元璋就在那條船上，大夥衝向前，活捉他！』

說時遲，那時快，有個叫韓成的，不由分說，剝下朱元璋的黃袍，跑到船頂，指著陳友諒叫罵：『陳友諒，爲了你我二人的恩仇，出動這許多人馬，害死這麼多人，現在，我把天下讓給你，你別再濫殺無辜了。』韓成說完，跳下鄱陽湖。

陳友諒以爲朱元璋已自殺，十分開心。

兩軍又大戰了幾天，未見勝負。有一回，朱元璋與劉伯溫在船上看將士們搏戰，劉伯溫忽然跳起，大叫一聲，雙手把朱元璋抱住，跳到另一艘船上。

回首一望，朱元璋原先那艘座船，中了一顆砲彈，攔腰截成兩段，朱元璋拍拍胸口：『好險！』

劉伯溫解釋道：『我一直注意陳友諒的戰艦，看到他一直伸手指向這兒，他一定發現你沒死，我才急忙換船。』

最後，朱元璋大將郭英被射中手臂，郭英忍著疼痛，拔出箭頭，也不顧血染軍袍，回首一箭，不料這一箭正中陳友諒左眼，直穿腦袋，陳友諒陣亡。

陳友諒一死，他的部下已群龍無首，非降即逃，朱元璋俘虜了十萬人馬，陳友諒部將張定遠用小舟，載著友諒的屍體和友諒次子陳理，逃回武昌，接著，張定遠又擁立陳理爲帝。

鄱陽湖大戰，是朱元璋討平群雄，決定性的一場大戰，時至至正二十三年（西元一三六三年），前後三十六天，與三國時的赤壁之戰，東晉時的淝水之戰，都是影響歷史演變的戰役。

閱讀心得

【第671篇】劉伯溫測字。

鄱陽湖大戰以後，朱元璋在至正二十四年的春天（公元一三六四年），正式建國號，定官制，稱為『吳王』。

在此期間，發生了一件『圓夢』的大事：

先是，地方上大旱，朱元璋擔心是因為牢裏沒審判的案件太多，惹惱了天公，因而命令劉伯溫一一解決懸案，並且制訂法律，防止濫殺。

可是，過了沒兩天，朱元璋突然大發脾氣，下令『把牢獄裏的福建、海寧罪犯，以及待在應天府中的福建人、海寧人，一律給我殺光！』

劉伯溫覺得好奇怪，他問道：『主公方才頒發了阻止濫殺的命令，這會兒又大開殺戒，到底是爲了什麼？』

朱元璋回答：『先生，你有所不知，昨天夜裏，我做了一個怪夢，一大群福建人、海寧人，頭上鮮血淋漓，手中拿著石塊，朝我撲來。今天一大早果然聽說，福建、海寧聚衆叛亂的消息，非殺不可！』

劉伯溫心想，天下未平，大開殺戒，著實不妙，又不能嘲笑朱元璋的怪夢，這該如何是好？劉伯溫腦筋快，一會兒工夫，他哈哈大笑：『恭喜主公，賀喜主公！』

『何喜之有？』

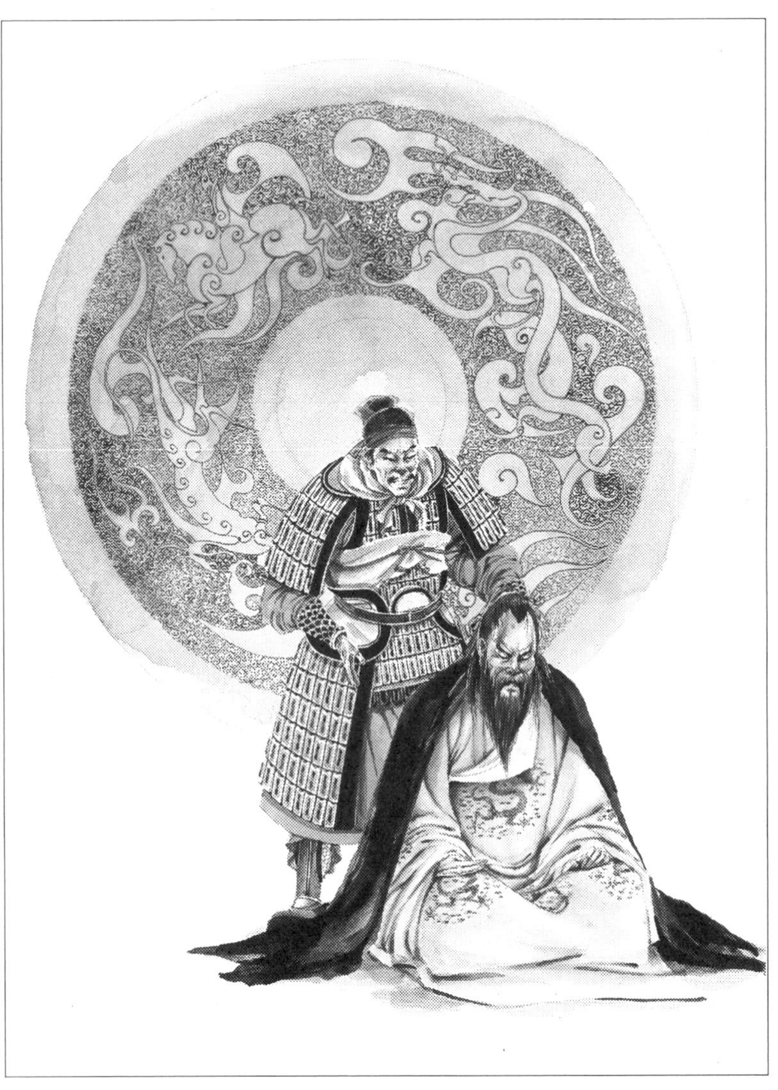

『我會測字啊！』

『說來聽聽！』朱元璋很好奇。

劉伯溫濡筆寫了一個『衆』字，然後分析：『主公，夢見許多人，便是衆字，你瞧，衆字上頭不是一個「血」字嗎？他們自稱是福建人、海寧人，表示這兩個地方的人嚮往主公，想要歸附主公，用血來表示赤誠！』

『有這種事？』朱元璋把『衆』字拿起來端詳，沒錯，上頭確是一個『血』字，他滿意地詢問：『依先生之見，該如何？』

『很簡單，大赦獄中的福建、海寧的囚犯，並且用上好的禮節，款待在應天府中福建、海寧的旅客，自然天下無事。』

朱元璋對劉伯溫的測字十分信服，就照他的意思做了。福建、海寧的罪犯突遭大赦，旅客忽然受到最好的待遇，回到家鄉，把這段奇遇見人就說，逢人便講，不一會兒工夫，這兩地的人民異口同聲，高喊朱元璋萬歲。朱元璋不費一兵一卒，平定亂事，自然大大誇獎劉伯溫，並且任命劉伯溫爲御史中丞兼太史令。

打敗陳友諒以後，朱元璋下一個目標就是張士誠了。張士誠據有江北江南，也自稱吳王，所以長江下游形成了兩個吳王對峙的局面。

於是朱元璋召集謀臣將領開會討論策略。

李善長對朱元璋說：『張士誠兵力未衰，土沃民富，不是容易攻得下的。』

朱元璋回答道：『今不除之，終爲後患！』

徐達說：『我以爲可攻。各位不曉得有沒有聽過一個當地的歌謠：「丞相做事業，專靠黃菜葉，一朝西風起，乾癟。」這歌謠中的丞相指的是張士誠的弟弟張士信，是個胡塗蟲，信任「黃」敬夫、「蔡」彥夫、「葉」德新三個齷齪小人。』

原來，張士誠不理會政事，一切交給弟弟張士信。張士誠外表看起來老成持重，其實到底只是個鹽梟出身，除了會走私之外，肚裏空無一物。

張士誠打著『尊重士人』的雅號，但是他又分辨不出誰是有學問的眞士人，誰又是招搖撞騙的假讀書人，反正只要上門，自稱士人，張士誠就會熱烈歡迎，並且奉送車馬。久而久之，大家都知道，張士誠是個『凱子』，樂得把他耍著玩兒。

張士誠對士人如此，對武將也是如此。凡是出兵遣將，將領獅子大開口，要求官爵，要求美田，他都一一應允。

等到將領打了敗仗回來，他一概不追究，仍舊用爲將領，如此功過不分，張士誠自以爲是在做好人，可是，底下人卻把張士誠這個鄉愿當傻瓜。

張士誠在蘇州造華屋，修園林，蓄女奴，大擺宴飲，吃喝玩樂。他本著有福同享的江湖道義，所以帶著部下也一塊放浪形骸，演變到了最後，連打仗的大將，出征之時，也身旁有妓女伺候。

朱元璋了解張士誠的情況，嘆息道：『我這個人，向來沒一件事不經心，尚且免不了被人欺騙，張九四一年到頭儘在玩兒，不出門理事，豈有不敗之理！』

說的也是，朱元璋打陳友諒，驚心動魄，攻張士誠則容易得多，破滅之日，李伯昇在城上呼道：『張太尉（士誠）愛我厚我，何忍負之！』抽出小刀準備自殺，左右一勸，他又捨不得死了。

李伯昇當了降將，又派人勸降張士誠，張士誠面子放不下，不肯答應，他問妻子劉氏：『我已決心一死，你們怎辦？』

劉氏回答：『必不負君！』她帶了孩子，上了齊雪樓，城破之時，自焚而死。

張士誠穿上龍袍，正準備懸樑自盡，李伯昇闖了進來，大呼小叫，找人幫忙，解開了繩索，救活了張士誠，張士誠好生氣，閉著眼睛，不肯理會李伯昇。

李伯昇把張士誠交給了朱元璋的大將常遇春，抬上了船，送到金陵，張士誠一路上不斷破口大罵，最後終於還是自縊而死。

李伯昇原先是張士誠結拜的十八兄弟之一，到了危急之時，首先投降的是他，派人當說客的是他，最後把張士誠交給常遇春的也是他。平江人看不起李伯昇的爲人，由於李伯昇官司徒，後來平江人便用『李司徒』三個字，形容一個人出賣朋友。

閱讀心得

【第672篇】

方國珍浙東稱雄。

朱元璋打敗張士誠以後，論功行賞，封李善長爲宣國公，徐達爲信國公，常遇春爲鄂國公，其他諸將分別進爵賜給金帛。第二天得到獎賞的都來謝恩。

朱元璋劈頭問道：『諸公回到家中，是否置酒爲樂？』

衆人回答：『蒙主上恩德，偶爾當然有。』

朱元璋長嘆一口氣道：『我也很想與各位痛痛快快喝上兩盃，樂一樂，但是，中原未平，現在還不是言樂的時候。你們看張士誠，整天喝得醉醺醺的，我不得不以他爲戒。』

由此可見，朱元璋自律甚嚴，他酒量極佳，卻極端克制。他不但戒酒，也時刻壓抑自己的物慾。

當朱元璋討平陳友諒之時，有人搬來一張陳友諒的鏤金床爲戰利品，並且說：『陳友諒這小子，一定沒想到，親自監工的鏤金床，竟然由我們主公享用。』

不料，朱元璋看也不看就說：『我還是睡我的木板床。』

『那麼，主公是要賞給何人？』

『誰也不許用，馬上把這張床給我毀了！』

底下的人都有點捨不得，如此精工鑲製的鏤金床，金碧輝煌，堪稱美麗的藝術品，毀了多可惜。

朱元璋也看出部下的不捨，他怒聲道：『你們說，這和孟昶的七寶溺器有何不同？』

孟昶是五代後蜀的君主，性好奢侈，連尿壺都用七種寶石鑲刻而成，最後被宋太祖趙匡胤俘虜。

朱元璋並且說明：『未富而驕，未貴而奢，這是孟昶失敗的道理，前車之鑑，不可覆蹈！』

由此可見，朱元璋早不是當年皇覺寺的小和尚，他開始讀歷史，也懂得自歷史中記取教訓，讀歷史讓朱元璋變成聰明的人。

緊接在張士誠之後，朱元璋進討方國珍。方國珍在群雄之中最先起事，在浙東稱霸了二十年。

方國珍是台州黃岩（今浙江黃岩）人，地近海邊，土壤荒瘠，人多田少，方國珍家裏是佃農，過著極清苦的生活。

地主待佃農一向極苛，黃岩因爲土地少，地主格外神氣，佃農在路上遇到地主，連鞠躬作揖，打個招呼都不敢，只能遠遠地躲開，讓出一條路來。等到地主大搖大擺地走過了，才敢露出臉來。

方國珍每次陪父親上街，若是遇著地主，就像躲警報一般，被父親拉著跑，跑慢了，父親一個巴掌就打下來。

方國珍很不服氣，他不只一次問父親：『地主也是人，我們也是人，憑什麼這條路他走得，我們就非得遠遠避開？也用不著怕他怕成這個樣子！』

父親聽了，便斥責國珍道：『小孩子，不懂事，不要亂說話，若不是靠地主借給我們田，我們怎能耕種？又拿什麼養活我們一大家子？尊敬地主是應該的。』

方國珍可不這麼想，他沒有感恩的思想，只有報復的念頭，每次看到父親必恭必敬、一副誠惶誠恐、窩窩囊囊的畏縮樣兒，他心裏就有氣，卻不敢爆發。

父親過世之後，方國珍家裏，除了繼續耕田，他還帶著兄弟們販賣私鹽。這些私鹽都掌握在海盜手中。元朝至正八年，有一個叫蔡亂頭的大海盜落網。方國珍有個仇家，向官府告密，說方國珍與蔡亂頭私通。方國珍不甘心被捕，決心眞的去當海盜。不過，要先找地主報復。

又到了地主上門收米的時候了，方國珍記得童年，每次地主來，父母總是忙著張羅，把好吃的，好用的，一股腦兒搬出來獻殷勤，小孩子只能在旁看著流口水。地主還不滿意，挑三挑四，嚕嗦個沒完，方國珍這股悶氣，已經壓抑得夠久了。

地主上門，背後還帶著一群管事的帳房先生、跟班小廝，門一推，神氣活現地邁著八步走了進來。

方國珍也急忙陪著笑臉，張羅酒菜，尤其因爲販賣私鹽，家境較爲寬裕，端出來的菜色相當豐盛細緻。地主一行，吃得大快朵頤，酒也喝得差不多，個個東倒西歪的，方國珍一不做二不休，用亂刀把地主等人剁成肉醬，扔到酒罎裏，讓他們喝個夠。

地主沒回家，地方官親自前來查訊，方國珍乾脆把地方官也殺了，結集了數千人，逃入大海，正式當了海盜。

由於方國珍這一批海盜異常剽悍，元朝政府無法殲滅，爲求息事寧人，便任命他爲定海尉，以示招安。方國珍擔任定海尉，安分了一陣子，沒多久，故態復萌，再度造反。

元朝爲求息事寧人，還是用招安的老法子。這一回，已不是小小定海尉能滿足他的了。方國珍眼見元政府吃這一套，不停地反反覆覆，官也愈滾愈大。當然，他也隨時不忘孝敬朝中大官，幫他說好話，除了劉伯溫等少數守正不阿之士，很少官員能抗拒紅包攻勢。

到了至正十七年（西元一三五七年）方國珍已官至浙東行省參知政事海道運糧萬戶，兄弟子姪全當了大官，佔有浙東沿海一帶，擁有漁鹽的豐富資源，同時橫跨黑白兩道，沒人敢惹，他也心滿意足，一心只想擁有這份產業，傳之子孫。

但是，朱元璋準備統一全國當皇帝，豈得容許方國珍雄踞一方。於是，朱元璋先派湯和，一舉攻下台州和溫州，方國珍舒服日子過久了，軍力荒廢，完全不是朱元璋的對手。

方國珍父子兄弟，膽怯心寒，悄悄開了東門，往海邊逃難。船開駛不及三里，早有朱元璋一批兵船，攔住去路。方國珍長嘆一口氣：『我巢已失，今日朱兵勇不可當，只好出外投降！以保身家，日後再謀機會。』

方國珍玩了一輩子投降的把戲，他原以爲接受招安以後，朱元璋還是會讓他當個大官，誰知道朱元璋硬是把他關在金陵，不讓他再玩反覆造反的把戲，方國珍最後憂鬱而死。

閱讀心得

【第673篇】

徐達治軍嚴明。

打垮方國珍以後，朱元璋又馬不停蹄討伐福建的陳有定。陳有定與陳友諒可是一點關係也沒有，他是窮農人出身，爲人沉著勇敢，歡喜行俠仗義，打抱不平，經常爲著朋友的事，兩肋插刀，拚了命都幹。

後來，因爲家裏窮困，實在撐不下去了，入贅富豪之家，攢了一點錢，在碼頭上做個小生意。

無奈，時運不濟，沒有多久生意就倒了，他只好去官衙裏當驛卒，混碗飯吃。

有一天，陳有定偶然遇到長汀縣府判葉公安，兩人一見如故，說得相當投緣，葉公安拍拍陳有定的肩膀道：『小老弟，聽你談論兵事，頭頭是道，頗有些見地。在衙門裏當個小小驛卒，送信跑腿，也沒多大出息。我眼前有個黃土砦巡檢的缺，專門訓練士兵，緝捕盜賊，你如果有興趣，不妨試試看。』

陳有定逮住機會，討山賊立了功，不久升爲總管，更自陳友諒手中奪回了汀州，元順帝任命他爲福建行省平章，鎮守閩中八郡。他爲了効忠元朝，經常從海道運糧到大都，受到元順帝一再褒獎。

俗話說小人得志，趾高氣揚。陳有定是個小人物的時候，極有正義感，時時以俠士自居，可是當了官以後，又是另一副嘴臉了。史書上說他是『上言爲國，以實私圖』，表面上說得好聽是爲了元朝，其實，公帑與私財合一。

由於有元順帝撐腰，福建行省平章燕只怕不花完全管不住陳有定，他陳有定說東是東，說西是西。附近漳州守臣羅良不聽指揮，陳有定立刻把羅良擄來給殺了。

從此，陳有定成爲福建的土皇帝，任誰都要怕他三分。

朱元璋派了胡深進攻陳有定，不幸中了埋伏，被陳有定所殺。

朱元璋再派水師進討，陳有定節節敗退，死守延平，寧死不降。這時的陳有定，早已不是當年那個爲朋友兩肋插刀的陳有定了，他日日夜夜披甲帶劍，到城牆上巡視，只要見到守兵略有精神不濟的模樣，也不顧人家是否幾天幾夜沒闔眼，馬上予以嚴處。若是發現將領稍有懈怠，更是一口斷定：『與朱元璋軍隊暗裏私通，處死！』弄得將士們埋怨不已，恨不得朱元璋早日打過來。

陳有定苦守十天，延平城終於被朱元璋的軍隊攻破了，他服毒自殺，不知甚麼原因，竟沒死，被俘虜到應天。

朱元璋指責陳有定道：『你是漢人，爲何幫助元朝，殺我胡將軍，害我損失一員大將。』

陳有定說：『我已經被你捉住，還有什麼話好說，死了便是！』

『好，算你是條好漢！』

朱元璋新發明一種刑罰，叫做銅馬，就是古代炮烙之刑，正好拿陳有定來做活人試驗。

朱元璋先把銅馬燒得赤紅，命令陳有定騎上去，陳有定一聲慘叫『啊……』轉眼之間，皮焦肉爛，化爲陣陣惡臭難聞的青煙。陳有定的兒子聞訊趕來，要求與父親同死，朱元璋樂得完成他的心願，也讓他騎了銅馬。

朱元璋對敵人十分殘酷，可是，他在用兵之時，非常注意軍隊的紀律，盡量做到不擾民。他麾下第一大將是徐達，徐達的一貫作風是『掠民財者死，毀民居者死，離營二十里者死。』

民間曾經傳說這麼一則故事：朱元璋奪下金陵，正預備攻打鎮江，忽然有人報告：『士兵們上街搶東西，並且戲弄婦女，民衆爲之惶惶不安。』

朱元璋聽了大怒，本來想把惹事的士兵找來，砍首示眾。轉念一想，明天就要出兵攻打鎮江，此時大開殺戒，觸了霉頭，著實不妙，他眼珠一轉，心生一計。

第二天一大早，軍隊正要開拔，突然軍營之中，眾人交頭接耳，神色不安，互相傳遞一則壞消息：『徐達將軍違反軍紀，即將開刀問斬。』眾人聽了無不失魂落魄，不敢相信，大家都說：『徐將軍到底犯了什麼罪？把他殺了，那我們還打不打鎮江？』

正在此時，徐達被五花大綁押了出來，有那忍不住的兵士，竟嚶嚶哭了起來。

元帥府裏李善長等人，也個個嚇軟了手腳，廳內廳外一大群人跪在朱元璋面前，請他收回成命。

朱元璋卻鐵著臉道：『徐達身爲統兵元帥，不能管束部下，壞我軍紀，非斬不可！』

徐達平時待下寬厚，士兵們紛紛向朱元璋求情，並且指天劃地，再三起誓，下回絕不再破壞軍紀連累長官。

朱元璋這才舒解了眉頭，轉過身對徐達說：『看在弟兄們的份上，這回暫且饒了你，這次出兵一不許燒房子，二不許搶財物，三不許殺百姓，你依不依？』

徐達還來不及回答，兄弟們在旁趕緊大叫：『依，依，什麼都依！』聲音響徹雲霄。

朱元璋和徐達互換一個欣慰的眼神，原來這是徐達的苦肉計，這段『假斬徐達』的雙簧戲，正史上並沒有記載，不過是民間用來強調朱元璋軍隊軍紀嚴明的故事。

徐達爲人剛毅勇武，對部下同甘共苦，的確是了不起的大將軍。朱元璋曾經誇獎他：『受命而出，成功而旋，不自誇、不張揚，婦女無所愛，財寶無所取，中正無疵，昭明乎日月，大將軍一人而已。』因此，徐達是明朝開國戰功最偉的第一功臣。

閱讀心得

【第674篇】宋濂的廣告攻勢。

朱元璋以一個孤苦無依的小和尚，能夠奮起草莽，領袖群雄，絕非偶然。張良曾經說：『沛公（漢高祖）乃天授也！』意思是說，劉邦雖然不學無術，卻是超人的政治天才。朱元璋也是一樣，對於爭取人才，收攬民心，都有特殊的智慧。

朱元璋來自民間，幼年乞食四方的人生體驗，使得他了解基層民眾的想法。因此他的軍隊所到之處，紀律嚴整，絕不會擾民。

另外，朱元璋明白，元朝政府幾十年來，對漢民族的歧視，人們敢怒不敢言，許多懷有民族思想者，心中還存著恢復宋室的心理，所以，在次第討平群雄以後，他命宋濂執筆，寫了一篇檄書，張貼在北方各地，以收廣告宣傳之效。所謂檄書（檄音席）是古時官府用以徵召曉諭大眾的文書，就類似今天的『文告』。

負責廣告撰文的，是大大有名的宋濂，宋濂與劉伯溫一般，都是朱元璋打下婺州以後，尋訪得來的名士。

宋濂是金華人，自幼聰明，博聞強記，精通五經，他曾經拜在著名學者柳貫門下，柳貫教了一陣子，對宋濂說：『我的學問不及你，慚愧，慚愧，你另外求師吧！』

告示

於是，宋濂又投到黃溍門下，沒想到黃溍也不敢收這個弟子。黃溍說：『老弟，我自歎弗如，當不起你喊我一聲老師。』

宋濂拜不到老師，只好自己在龍門山閉門讀書，元朝至正年間，元朝政府任命他為翰林編修。宋濂不願意在元朝腐敗政府中做事，以『雙親年邁，不忍遠離』為理由，不肯赴任。

朱元璋攻下婺州，積極尋訪名士，當地的人都說：『有一位宋濂先生，腹中書富五車，筆下文堪千古。』

朱元璋聞之大喜，立刻派出孫炎前來尋訪。孫炎到了台州安平鄉，在莽林之中，發現一位儒生，頭戴著一頂四角鑲邊東坡巾，腰間繫著一條熟經皂絲絛，腳下一雙白布襪，後面跟著一個山童，肩挑著一擔琴，主僕二人自自在在，有股靈秀的氣質。孫炎直覺這便是宋濂先生，向前施禮道：『遠望先生風采迥異，想必是宋濂先生。』

宋濂早就聽劉伯溫談起朱元璋，因此，孫炎一邀約，宋濂也就欣然前來。宋濂比劉伯溫長一歲，劉伯溫個性豪邁有奇氣，宋濂則是標標準準的儒生，劉伯溫在軍中擔任參謀大計，宋濂則以文學長才，爲朱元璋所重用，時常爲朱元璋講授春秋左氏傳。

宋濂在講課時，總是提醒朱元璋：『得天下，以人心爲本，人心不固，縱然有金帛充斥，也是沒用的。』朱元璋認爲宋濂的話有理，所以催促他寫了一篇檄書。

宋濂才思敏捷，不多時，即以朱元璋的口吻，擬了一篇文稿。

文告一開始，先是痛罵元朝『自古帝王臨御天下，未曾聽過以夷狄居中國治天下者，元朝臣子，不遵祖訓，廢壞綱紀，瀆亂父子君臣長幼之倫……當降生聖人，驅逐胡虜，立綱陳紀。』

這段話的意思是號召天下儒生，強調中國應當由中國人來治理，復興中華文化，至於『降生聖人』這個『聖人』，當然指的是朱元璋了。

可是，想當初朱元璋也是紅軍出身，宣傳的是彌勒佛和小明王出世的理想，這與中國傳統的儒家思想並不相同。

所以，第二段，檄書立刻批評：『現在河洛關陝，仍有數雄，忘記中國祖宗之姓，以捕妖人爲名，非華夏之士也。』

檄書批評的妖人是韓林兒，這表示，朱元璋在罵妖人，當然自己不是妖人，與紅軍劃清界線，希望大家趕快忘記，他曾經當過十七年紅軍頭目的事實。

緊接著，檄書中又說『我是淮右布衣，希望拯生民於塗炭，恢復漢官威儀，我擔心人們不了解我用心良苦，把我當成仇人，舉家逃難，所以我先通知大家，軍隊來到之時，人民千萬不用走避，軍隊號令嚴肅，必然秋毫無犯。』

最後，爲了緩和蒙古色目人的反抗心理，文告的結論是：『雖非華夏族類，然同生天地之間，有能知禮義，願爲臣民者，也與中國人民一般看待。』

宋濂這則廣告寫得相當出色，朱元璋看了很欣賞，馬上印了一大批，在北方到處張貼。雖然不能與電視廣播報紙般有效果，但是，確也發揮了相當的作用。

北方儒生發現朱元璋提倡中華文化，大爲安心。北方農民明白朱元璋軍隊不搶不殺，用不著逃跑。連蒙古色目人也不再像以前一般死命作戰了，文告中不是說得很清楚嗎？只要知禮義，加入中國文化系統，同樣是中國人民了。

宋濂這則廣告，使得朱元璋的北伐軍進展順利，元軍兵敗如山倒，元順帝害怕被俘虜，率領后妃逃奔上都（開平，今察哈爾多倫縣）。洪武二年，朱元璋又攻下了上都，元順帝再北走大漠，又回到了蒙古老祖宗席天幕地，轉徙水草的遊牧生活了。

閱讀心得

【第675篇】

明太祖不知自己是明太祖。

元順帝至正二十八年，朱元璋的北伐軍平定元軍，南征軍掃平方國珍。在一片捷報聲中，朱元璋正式定都金陵，稱應天府。以應天府爲南京，開封府爲北京，改吳國爲明朝，建元洪武，這一年同時爲洪武元年（西元一三六八年）。

朱元璋就是歷史上赫赫有名的明太祖。

不過，明太祖是朱元璋的廟號，朱元璋在世的時候，他可不知道自己是明太祖。在戲劇之中，常見洪武年間的臣民稱朱元璋爲明太祖，其實是錯誤的。趁這個機會，爲大家介紹一下『廟號』與『謚號』，這是讀中國歷史，必須具備的基本常識。

廟號是指古代帝王死了以後，在太廟（皇帝家族的祠堂）立室奉祀，並且追尊爲某祖、某宗的名稱，稱之爲廟號。例如唐高祖李淵，高祖便是他的廟號。

除了廟號以外，還有一種叫謚號，謚音『士』，也可寫成諡。古代皇帝、貴族、大臣、士大夫死後，依其生前事蹟給予的稱號。

例如：唐高祖李淵死了以後，被謚爲『神堯皇帝』，漢武帝的謚號是『武皇帝』，曾國藩爲『文正』（所以後人常稱曾國藩死後被謚爲『曾文正

明

公』，留有曾文正公家書），這些都是由政府掌管禮儀的官員草擬，經過在位皇帝核可後賜給的。

有些士大夫未曾做官，或者官職太低，不能獲得皇帝賜給的諡號。他的學生門人有時便會私自給他一個諡號，稱爲『私諡』，例如清朝初年的王大經是一位飽學之士，清朝政府屢次徵召他任官，他都加以拒絕。他死後，門人敬仰他的人格，便私諡爲『文介先生』。

不論是廟號或是諡號，有三點應該注意：

㈠任何皇帝或臣民在生前都不知道自己的廟號或諡號，別人也不可能預先知道他的廟號或諡號。例如劉邦在去世之前，不知道自己會被後人稱爲『高祖』，大臣們也不可能在劉邦還活著的時候，稱他爲『漢高祖』。戲劇中當著劉邦的面喊高祖爺，其實是笑話。

㈡一個皇帝死了以後，在正常的情形下，應該有廟號，也有諡號。例如唐太宗李世民的廟號是『太宗』，諡號是『文皇帝』。漢武帝的廟號是『世宗』，諡號是『武皇帝』。歷史上有時稱他的廟號，如『太祖』、『太宗』、『高宗』等，有時稱他的諡號，如『武帝』、『惠帝』。一般的習慣，唐朝以前稱諡號，唐朝以後稱廟號，但是也不是固定不變的。

㈢古人定諡號都有意義，如『文』表示『慈惠愛人』，『武』是表示『威強叡德』，『宣』是表示『聖善周聞』。大多數的諡號都是表揚好的德行。但是，也有壞的，如『厲』、『幽』等都是帶有貶抑意味的諡號，至於哀帝，那不用說，一定是悲慘的意思了。

朱元璋爲何定『明』爲朝代名號？這是有道理的，歷史上朝代稱號，都有其特殊的意義：㈠用初起時的地名，如秦朝、漢朝。㈡用所封的爵號，如隋朝、唐朝。㈢用特殊的物產，如遼朝、金朝。㈣用文字的含義，如元朝、明朝。

朱元璋初起紅軍，信奉明教，明教主要傳說是彌勒佛或小明王出世，黑暗過去，光明到來。

由於五百多年的秘密傳述，許多窮人對明教都有神祕的親切感。朱元璋取名明朝的用意是，他就是小明王出世，天下太平，大地回春，人民不必再期待其他救世主，朱元璋並且在即位不久，下令禁止一切邪教，尤其是白蓮教、大明教、彌勒教，他可不許人家用他用過的方法，把他推翻。

事實上，明朝後來是一個相當黑暗的朝代，民間又幻想有個小明王出世普度衆生，明教徒在嚴刑壓制之下，只好改頭換面，轉入地下活動，成爲民間秘密組織，我們以後再談。

從儒家的角度來看，『明』也是好字。明是火，是光亮的意思，分開來是日月。因此，儒生也贊成採用『明』爲國號。

朱元璋在奉天殿接受文臣武僚的祝賀以後，立馬氏爲皇后，世子朱標爲太子，以李善長與徐達爲左右丞相，個個歡天喜地。

朱元璋終於效法漢高祖劉邦成功，也當上了天子，他的許多作風都模仿漢高祖。漢高祖大建長安，明太祖大建金陵城。漢朝初年，把齊國楚國六族搬到關中，明太祖則把浙江等省及應天十八府的一萬四千三百富戶，搬到南京。

南京城的整建自洪武二年至洪武六年完工，規模之大，全國第一，城垣之長，則爲世界第一，東連鍾山，西據石頭，南阻長干，北帶玄武湖，城以花崗石爲基，石灰磚爲牆，十分堅固，一直到今天。暑假期間，許多人赴大陸探親觀光，不妨赴南京一遊。

今天的歷史故事比較無趣。不過，許多愛讀吳姐姐講歷史故事的讀者，都有旺盛的求知慾，所以，對明太祖不知自己是明太祖，應該也覺得挺有意思的。

閱讀心得

【第676篇】

明太祖設立剝皮刑場。

談到明太祖朱元璋，許多人第一個想法，就是他是專制暴君。其實，明太祖具有雙重人格。他一方面愛護百姓，成爲賢明皇帝，一方面猜忌群僚，成爲暴虐君主。當然，這和他從小的際遇大有關係。

明太祖出身窮困，飽嘗人世艱辛。他曾經對文武百官說：『想我小時候在民間，看多了貪官污吏，愛財好色，飲酒誤事，心裏簡直恨透了。現在我當了皇帝，我發誓要嚴懲貪污！』

於是，他訂下了極爲嚴苛的律令：凡官吏貪贓一貫以下，打七十大板，每五貫，罪加一等，貪污至八十貫者處斬。如果官吏貪污至六十兩銀子的，更慘，必須梟首示衆，並且處以剝皮之刑。當時府州縣衙門左邊的土地廟，就是剝皮的刑場，所以百姓稱土地廟爲皮場廟。

中國人一向愛看熱鬧。因此，每回遇到要剝貪官的皮，總是互相詢問。

『怎麼樣？怕不怕？要不要去看？』

『當然去，不要錯過了好戲。』

一會兒工夫，土地廟前面擠滿了群衆，一個個又歡樂又害怕，興奮得臉白白的。當然，最害怕的是當官的。

南朝天子愛风
盡守工山不
總為戰爭收拾得
卻因歌舞破除休
堯將道德終
敵
秦把金湯
試問繁
雨花煙草石城秋

此外，明太祖規定，衙門公座旁邊，得擺一張人皮，裏面用稻草塞得鼓鼓的，讓官吏觸目驚心，大生警惕之心。他並且多次下令，鼓勵人民檢舉老奸巨猾的貪官土豪，綁到京師治罪。

明朝建立以後，整個國家遍地荊棘，凋敝不堪，滿目瘡痍，明太祖深深了解，此時此刻農民一窮二白，榨也榨不出油水，他一面墾荒屯田，勸課農桑，一面告誡州縣長官：

『如今天下剛剛安定，百姓財力物力都相當困乏，有如鳥初飛，木初植，切勿拔鳥的羽毛，撼樹的根本。否則，小心朕不饒你！』

明太祖爲了安撫農民，在國家初定，兵馬倥傯之際，仍然不忘減免租稅，自洪武元年到洪武十九年，幾乎每年都下蠲免租稅的命令（蠲音『捐』），國家對於人民，免除應納的田賦徭役之謂）。同時，按照規定，凡是各地鬧水災旱災的，一律蠲免捐稅，即使是豐年，也會選擇地瘠民貧的地方免稅。

爲了讓下一代也了解農民疾苦，朱元璋曾經派人陪太子朱標下鄉，實地視察農家生活。朱標回來以後，朱元璋又少不了一頓訓斥：『這下子，你可看到農民的辛苦了吧，公雞一叫，就要起床，趕著老牛下田耕種、插秧、鋤草、施肥，勞碌得不成人樣。好容易挨到收割了，完租納稅以後，剩不了多少。萬一再碰上天災，除了乾著急，毫無辦法。可是，國家的賦稅完全是農民出的，當差作工也是農民的事。農民身不離田畝，手不離犁耙，住的是茅草屋，吃的是粗糲飯。』

『因此，』朱元璋正色地對朱標說：『凡是居處食用，一定要想到農民的辛勞，取之有制，用之有節。如果對農民橫徵暴斂，農民將不堪其活矣。』

明太祖自己，的的確確做到了節用，在『方國珍稱雄浙東』之中，我們說過，他曾經毀掉打敗陳友諒之後，部下獻上陳友諒用過的鏤金床。明太祖在南京營建宮室，負責的工程師把圖樣打好呈給他看，他二話不說，把雕琢考究的部分一概刪掉。

工程師臉都綠了，刪掉的全是他最得意之處啊，這還不打緊，工程完工以後，明太祖竟然派遣畫工，在皇宮牆壁上畫了許多觸目驚心的歷史故事，明太祖更特別叮嚀一句：『愈恐怖愈好！』他希望能夠警惕自己，記取歷史上的教訓。可顧不了室內設計的美感。

有一回，某個官兒不曉明太祖的脾氣，向他推薦某處的花崗石如何如何美麗，用來鋪設宮殿的地板，再適合也不過，講得是口沫橫飛，話還沒說完，就被明太祖臭罵一頓。

另有一官員接口道：『鋪地板的石頭可以將就點兒，不過，皇帝的御車器具，照例都是金飾的，而且還用不了多少錢。』

明太祖仍然固執不肯，他指著官員的鼻子教訓道：『朕富有四海，那裏會吝嗇這一點兒黃金。但是，如果我自己不帶頭儉樸，下面的人怎會提倡儉樸？而且，一切的奢侈，無不是自小而大的。』

明太祖不僅在用的方面儉省，在吃的方面亦然，洪武六年，潞州上貢人參，他不肯收，理由是：『人參得來不易，不用煩勞人民。以前，金華進貢香米，太原進貢葡萄，我都拒絕了，國家以養民爲要務，奈何以口腹之慾勞民傷財。』

由於明太祖自己儉省，他格外看不得人家浪費。有一天，一個內侍穿了新靴子在雨中走路，被明太祖逮到，狠狠教訓一頓：『你不會換上舊靴再走到雨中嗎？』

又一次，明太祖看到一個散騎舍人穿了一件好漂亮的新衣服，明太祖釘著上上下下地看，心中大大不以爲然，當下喝住了散騎舍人：『你這件新衣挺好看的。』

『是。』散騎舍人咧著嘴笑。

『花了多少錢？』明太祖語氣頗爲不悅。散騎舍人著了慌，也不敢不據實以答：『五百貫。』

『五百貫？』明太祖的眉毛都打結了。『你可知五百貫是農人數口之家一年的花費，你卻用來做一件新衣？』

明太祖把散騎舍人叫到屏風前，命令道：『唸啊！』

原來，屏風上是唐朝李山甫寫的〈上元懷古詩〉：

南朝天子愛風流，盡守江山不到頭。
總爲戰爭收拾得，卻因歌舞破除休。
堯將道德終無敵，秦把金湯可自由？
試問繁華何處在，雨花煙草石城秋。

明太祖把這首詩寫在屏風上，早晚吟誦，這也表現出歷代開國君主最能體會『殷鑑不遠』的教訓。

閱讀心得

【第677篇】

黃冊和魚鱗圖冊。

中國古代以農立國，一直到今天，中國大陸百分之八十以上還是農民。所以，農民擁有相當大的勢力。誰能得到農民的擁戴，便可得天之助，成為天子。

明太祖朱元璋聰明過人，他不過是濠州和尚出身，又做過流寇，很容易讓人誤會是盜匪。因此，他每次攻城掠地，先則安民，次則減稅，表示自己絕對與流寇不一樣，請大家儘可放心。

他這套方法，眞是管用。史書上形容是『奚我后，后來其蘇』。這句話的意思是『等待我們的皇帝，他一來，我們就能死而復生了。』語出於孟子的梁惠王篇，形容商湯革命之時，人民日夜盼望他來，就像大旱之時，盼望下雨一般。

不過，當朱元璋次第平定天下，他就不再大規模地減稅免租。事實上，國家建設，各方面都需要用錢，也不可能一直免下去。

明太祖建國之後，他有幾項重要的措施，第一就是整理全國的户籍。因爲元朝末年，天下大亂，人物流離，户口紊亂，所以明太祖調查全國的户口，以每一百一十家爲一里，每里有一本名册，册子的表面是黃色，所以稱爲黃册。

由於明太祖曾經敲著木魚，在民間流浪過幾年，看遍人間形形色色，他很了解地主是怎麼欺負一般農民的，他對臣下說：『我是看多了兩浙地帶富户爲了逃避徭役，在户籍上動手脚，鄉里欺騙州縣，州縣欺騙政府，非重新調查不可。』

明太祖把各地送來的黃册，集中到京師後湖的黃册庫之中。後湖者，便是南京著名的玄武湖，湖中心幾個小島設有檔案館，用以貯放重要文件。爲何把重要文件放在水中央，理由很妙，這可避免火災，而且與外界聯繫少，避免受到干擾。

黃册是記載户籍的。後來，配合著户籍名册，測量天下的田地，又造了一種册子，册子中畫了各地的方圓形狀，編上號碼，並且註明土地性質、等級。翻開冊籍，只見土地圖形重重疊疊，彷彿魚身上的鱗片一般，因而稱爲魚鱗圖冊。

黃冊和魚鱗圖冊互相印證、補充，編織成一張大網。按理說來，應該發揮相當的作用。可惜，制度雖好，執行的官員卻從中舞弊，幫助地主隱瞞戶口土地，那怕明太祖用剝皮對付貪官污吏，可是一般無知無識、膽小怕事的農民不敢檢舉。官吏利用黃冊、魚鱗圖冊貪污的，依然是大有人在。譬如，把地主的田地，偷偷假託在他人的名下，稱爲『詭寄』。把地主該服的勞役攤給貧窮小民，稱爲『飛灑』。

爲什麼中國古代的貪污總是層出不窮呢？這是有道理的。古代中國的官俸是很微薄的，單單依靠官俸，絕不能養活一大家子，也不能維持與身分相等的生活。這固然可以減少國家的財政負擔，卻等於默認做官的貪污。明太祖不願增加官俸，又強烈反對貪污，他的理想是官員個個儉約，此事說來容易做來難。

在中國古社會，貪污是普遍共同的現象，如果誰做了官，依然兩袖清風，一定有人罵你蠢。反之，能買地，娶小老婆，這才是能幹。

當然，在中國歷史上，也有不少爲人稱讚的清官。其實，做官要會做事，單單清廉，有什麼可貴。人們之所以感覺可貴，就是證明貪污是普遍現象。如同中國歷史上，『青天』一直受人崇拜，假如處處光明，青天也就不足爲奇。

黃册原先規定，每十年重造一次。到了後來，官員敷衍了事，把十年前的舊冊子重抄一遍了事，這一遍一遍抄下來，許多人都成了百歲老人，全國到處都有一百多歲的人瑞，眞是滑天下之大稽，因此有人諷刺道：『人多百歲之老，產竟世守之業。』有的官員還不到十年，竟然先把黃冊重新抄一遍。在清朝初年，有人發現明朝崇禎二十四年的黃冊，明朝其實在崇禎十七年就滅亡了，你說好笑不好笑。

有了黃冊、魚鱗圖冊以後，明朝政府根據這份資料，每年分夏稅秋稅二次徵稅。明太祖爲了籠絡地主，多半用地主爲糧長，負責徵收與押解糧食。糧長到了京師，明太祖親自召見，如果雙方談得愉快，也許就留在京師做官了。所以，當糧長是件很過癮的事。

儘管如此，糧長經常還是相當狡獪。當時運河沿岸，徐州、淮安等大城市紛紛興起，糧長用手中的糧食爲資本，從事經商買賣。

糧長挪用糧賦以後，如何向上面交代？往往就是回到家鄉，向農民耍賴：『不小心船沉了，只好再繳一次。』

可憐的農民，明明曉得糧長又在騙人，但是，除了自認倒楣，被迫再繳一次以外，有什麼辦法？

無論如何，在明太祖墾荒屯田、改進賦稅的努力之下，洪武末年，全國耕地總面積突破四百萬頃，比元朝末年增加了一倍以上。洪武二十六年的人口，比起元世祖時代，也增加了七百萬左右。雖然迫於現實，他的改革多多少少打了折扣，到底，仍然促成了社會的安定，農業經濟的繁榮。

閱讀心得

【第678篇】

國子監生與八股文。

明朝初建，百廢待舉，從朝廷到地方，大概需要十幾萬名官吏。經歷了兵荒馬亂之後，要到那兒去找尋這許多的優秀人才？

遠在朱元璋還是吳王的時候，他就經常派遣使者，遠赴各地，探訪人才。洪武元年，更徵天下賢才於京師，並且打破了一切任用資格的限制。

儘管明太祖求才若渴，當時一般讀書人還是興趣缺缺，有些個元朝舊官吏，明太祖三催四請仍不來，太祖就火了，放下臉來恐嚇：『你不肯來，莫非是有別的意圖？』讓大家不敢不來。

爲什麼讀書人都缺乏做官的意願呢？其中一部分固然是經歷亂世，深感人生無常，寧願韜光養晦，閉門隱居。但是，最主要的原因是明太祖乾綱獨斷，嚴刑峻罰，隨時用剝皮對付官員，使得讀書人視官場爲畏途，能躲就躲。

明太祖心想，既然舊的讀書人不敷使用，還不如培養一批新的生力軍，這就是明朝國子監誕生的由來。

中國官辦的學校，起源很早，一般多遠溯虞舜時代，國子監的名稱，則始自唐代。洪武十四年，明太祖下詔改建國學於雞鳴山旁，據說『規模之大，前代所未有』。

者抑之下者
損之不足
有餘而補不足
不然損不
孰能有餘以奉
有道者是以聖人為
而不恃功成而
不處其
欲見賢

所有在監諸生，政府都供給膳食，並且幫忙供食一家大小。每季賞賜衣被鞋襪，鈔錠燈油。甚且，監生回家鄉探親，也發給路費。同時，免除該生家中二丁的徭役，可以說是待遇相當優厚。

監生的制服是頭戴四方平定巾，身穿圓領大袖的青衫，稱之爲『襴衫』。在中國古代，衣冠服色是區別貴賤的重要標幟，不是隨便想怎麼穿便怎麼穿。國子監規定監生『不許穿戴常人巾服與衆人混淆，違者痛決』。

所謂痛決，就是打屁股。在國子監的教員辦公處（稱之爲繩愆廳），有兩條長長的凳子，是讓學生伏著打屁股用的。政府還特別撥了兩名皂隸，專門來打學生的，下手又猛又重。皂隸是古代衙門之中執役的人，就是行刑人。國子監中的刑具，多半是竹棍子。

功課的內容，主要是四書、五經、劉向說苑、書算。其中最重要的是明太祖朱元璋自己編寫的大誥，一共有四冊，列舉官民罪狀，使官民知所警惕，最終目的是爲國家訓練政治幹部。

在四書（論語、孟子、大學、中庸）之中，朱元璋最不滿意孟子，他在洪武三年，第一次開始讀孟子，一面讀，一面發脾氣，尤其是讀到孟子的民本思想，對君王有不敬之處，他氣得把書扔到地上，吹鬍子瞪眼睛：『哼，這個可恨的老頭兒，若是今天還活著，看我怎麼收拾他！』

朱元璋不能把孟子綁來，竟然下令把孟子趕出孔廟，這事非同小可，孟子是亞聖，千百年來深受儒生景仰。有人委婉地勸告明太祖，千萬不可犯天下大不韙。

明太祖迫於輿論，不得已讓孟子重回孔廟，不過，他組織了一個孟子審查委員會，把孟子一書詳詳細細加以審核，由劉三吾等負責主持，凡是會讓君主看了刺眼的，如：『民爲貴，社稷次之，君爲輕』，『君有大過則諫，反覆之而不聽，則易位。』以及『君之視臣如草芥，則臣視君如寇讎』統統一律槓掉。

監生的平常作業是，每天寫書法一幅，每三天要背大誥一百字，本經一百字，四書一百字，一個月作六篇文章。凡是沒繳作業，或者馬馬虎虎敷衍了事的，還是一樣——痛決，打屁股。

朱元璋治理國家嚴格，他對監生同樣是一絲不苟，校規前前後後加起來，竟然有五十六條之多，譬如禁止對人對事的批評、禁止組成小組織，也不許議論飲食，那怕飯菜的確確很難下嚥。

至於沒病裝病，出入遊蕩，飲食喧嘩，點名不到，一律都是趴在紅凳子上打屁股。可是，最嚴重的是『敢有侮辱師長，生事告訐，有傷風化』者，不但狠狠打個一百板，還要發配雲南充軍。

校規之中有一條頗不合理，凡是學生對課業有疑問，必須跪聽。當初設置這一條的原意可能是尊師重道，但是影響所及，學生更不敢開口問問題了。

中國人一向口才不佳，講起話來期期艾艾，表達能力很差，這和傳統有關係，老師不鼓勵學生發問，唯恐被學生問倒了不好看。學生本來就怕老師，老師面有慍色，還敢多嘴多舌嗎？明朝這一條，充分地表示了學生最好閉嘴的一貫精神。

明太祖重視學校教育，不太注重科舉。所以，在洪武年間，科舉時興時廢。另外，還有一個重要規定，就是考試的時候，命題有一定的範圍，專用四書五經來出題目，考卷上作文章，一定要用古人的語氣，稱爲制義。制義分成兩類，一類用排偶，講究對仗，就是所謂八股文，是朱元璋與劉伯溫一起商量決定的。

八股文給讀書人一種強烈的限制，不但限制文章、文字的發揮，而且必須模仿古人說法，約束人們活潑的思想。這種八股文自明朝開國之初，一直沿用到清朝末年，眞是害死人。

閱讀心得

【第679篇】劉伯溫告老還鄉。

明太祖朱元璋能夠得到天下，劉伯溫運籌帷幄，該是第一功臣。很遺憾地，歷經千辛萬苦，明朝終於建立，卻是朱元璋與劉伯溫分手的時刻。

明太祖初即位，劉伯溫協助制訂軍衛法，並且擔任御史丞兼太史令，又擔任弘文館學士，封誠意伯。雖然是官高爵顯，劉伯溫心頭總有一片陰影，他大公無私的性情、有話直說的脾氣，與中國歷來官場鄉愿的作風格格不入。

劉伯溫認爲治理國家，首重綱紀，他強調法治精神，不講究情面，無論宿衛或官侍犯了法，一律秉公處理，招致不少怨言。

當時，中書省都事李彬貪污，東窗事發，依法應該論斬，左丞相李善長與李彬一向是好友，吃喝玩樂都泡在一起。

李彬的家人找李善長說情，李善長拍拍胸脯道：『沒問題，一切包在我身上。』

李善長自以爲沒問題，他跑去找劉伯溫關說，卻結結實實碰了一個大釘子，劉伯溫要依法論罪。

李善長拉長了臉：『連我的面子，你也不賣？』

劉伯溫一作揖：『抱歉，這不是誰面子大的問題。』

最後，李彬還是丟了腦袋。李善長對劉伯溫的不滿自不在話下。劉伯溫只是就事論事，李善長卻不能諒解。

其實，李善長能當上左丞相（在明朝，左丞相地位高於右相）還是劉伯溫幫了忙。

明太祖曾經問過劉伯溫的意見。劉伯溫說：『善長勳舊，能夠調和諸將。』

明太祖忍不住笑道：『他曾經數度想要加害於你，你竟然還幫他美言？』

『宰相有如國家大柱子，要用大木頭、大才幹者，如果用了小木頭，則有傾覆的危險。』

後來，洪武三年，明太祖改封李善長爲韓國公，晉位太師。明太祖想找楊憲代替李善長，楊憲一向與劉伯溫走得很近，私交不錯。不料，當明太祖詢問劉伯溫的意見，劉伯溫竟然大搖其頭。

『楊憲這個人我最清楚，他有相才，卻無相器，當宰相者，必須持心如水，凡事以義理爲權衡。楊憲的度量不夠。』

『那麼汪漁洋呢？』

『更糟。』

明太祖想了又想，忽然計上心頭：『不如找胡惟庸。』

『胡惟庸，我恐怕他會像劣馬把韁繩扯斷，陛下到頭來會駕馭不住。』

左也不是，右也不是，明太祖長嘆一口氣道：『我看我的宰相，實在非先生不可，你就不要推辭了吧！』

劉伯溫執意不肯，他緩緩地說：『我有自知之明，我這個人是非分明，嫉惡如仇，又不耐繁劇，天下何患無才，只要明主用心訪求。不過，陛下剛剛提的這些人都不適合。』

劉伯溫果然料事如神，後來，楊憲、汪漁洋、胡惟庸都出了亂子。劉伯溫憑著銳利的眼光，他也看出明太祖是個只能共患難，不能共富貴的人，所以，在洪武四年，他就告老還鄉，希望君臣一場，好聚好散。

臨走之前，明太祖問劉伯溫：『近日天象如何？』

劉伯溫一向擅長天象，他也有意藉機教育明太祖，因此語重心長道：『霜雪之後，必有陽春，現在國威已立，應該寬大爲懷。』劉伯溫並不贊成朱元璋的苛政，不過，他心知肚明，朱元璋聽不進去，也罷，不如回青田老家。

於是，洪武四年，劉伯溫回到了青田山中，喝喝酒、下下棋、寫寫文章，完全過著隱士的生活。

劉伯溫生性淡泊，當初追隨朱元璋打天下，爲的也不是功名利祿，因此，他很容易適應粗茶淡飯的日子。

偶爾有鄉人提起：『聽說明朝的天下，大半是你出的主意得來的。』

劉伯溫總是淡淡一笑：『沒的事。』

若是有人問起，當初如何破陳友諒，敗張士誠，劉伯溫總是顧左右而言他，眞是好一個英雄不提當年勇。

地方長官對這號人物，當然視之爲鄰里之光，解經多次拜見，劉伯溫總是悄悄地避開了，說是遠遊去了。只在此山中，雲深不知處。

青田知縣捺不住心中好奇，他換下官服，穿上青衣大褂，東訪西問，覓入深山，遇到一位老嫗：『你可認識劉伯溫先生？』

老婆婆順手一指，『那不就是嗎？』原來，正在溪中濯足的，便是鼎鼎大名的劉伯溫先生，體貌修偉，留著一把虬鬍子，氣質出塵。知縣趨前一作揖：『野人拜見。』

劉伯溫請知縣赴山中茅屋，端出山野粗食，知縣正要動筷子，忽然有鄰里中人驚呼：『這不是青田知縣嗎？』

劉伯溫趕快站了起來，對知縣作了一個揖：『小民怠慢。』大步走向深山。青田知縣好懊惱，氣壞了那個多言的大嘴巴。但是，知縣對劉伯溫的人格，更加欽佩萬分。

劉伯溫退隱田園、寄情山水，一方面固然是他愛好自由的性格，同時，也是由於那時代的環境，以及明太祖朱元璋猜忌的性格。

民間傳說，劉伯溫原在宮中之時，有一天，內監送來一盒禮品，說是馬皇后送來的，他打開一看，裏面只有一顆桃子，桃子上串著一枚棗子。

劉伯溫納悶了半天，這是什麼意思？忽然恍然大悟：『棗——桃——，早逃？這不是馬娘娘暗示我走爲上策嗎？』

於是，劉伯溫馬不停蹄，直奔青田。

這段傳說，當然沒有根據，不過，明太祖對功臣心懷芥蒂，倒是千眞萬確的。

閱讀心得

【第680篇】燒餅歌與推背圖。

劉伯溫返隱田園，揮別繁華，照理說來，應該愉快地終老青田老家，奈何事與人違。

劉伯溫雖然離開了官場，過著隱居的生活，但是明朝政府的一舉一動，他還是十二萬分的關心。就像范仲淹在〈岳陽樓記〉一文中所寫的：『居廟堂之高，則憂其民，處江湖之遠，則憂其君。』

劉伯溫在青田山中，雖是處江湖之邊遠，仍不免『先天下之憂而憂，後天下之樂而樂』，標標準準的中國知識份子。

當時，福建邊境有塊地，名叫談洋，是鹽梟的大本營，想當初方國珍兄弟就在這兒發跡的，後來又有奸民在這兒走私，地方官不但不逮捕，反而代爲遮掩包庇。

劉伯溫唯恐方國珍事件重演，命令長子劉璉上了一個奏章，提醒明太祖小心。也許劉伯溫擔心胡惟庸把奏章吃掉，也許劉伯溫以爲憑他與朱元璋的交情，用不著繁文縟節。總之，劉璉的奏章沒經過中書省，直接送給皇帝，偏偏胡惟庸擔任中書省左丞，知道了這件事。

由於劉伯溫性格是嫉惡如仇，他對胡惟庸一向懶得多理睬，明太祖詢問他對胡惟庸看法之時，他也直言胡惟庸不適合當宰相。這一切，胡惟庸

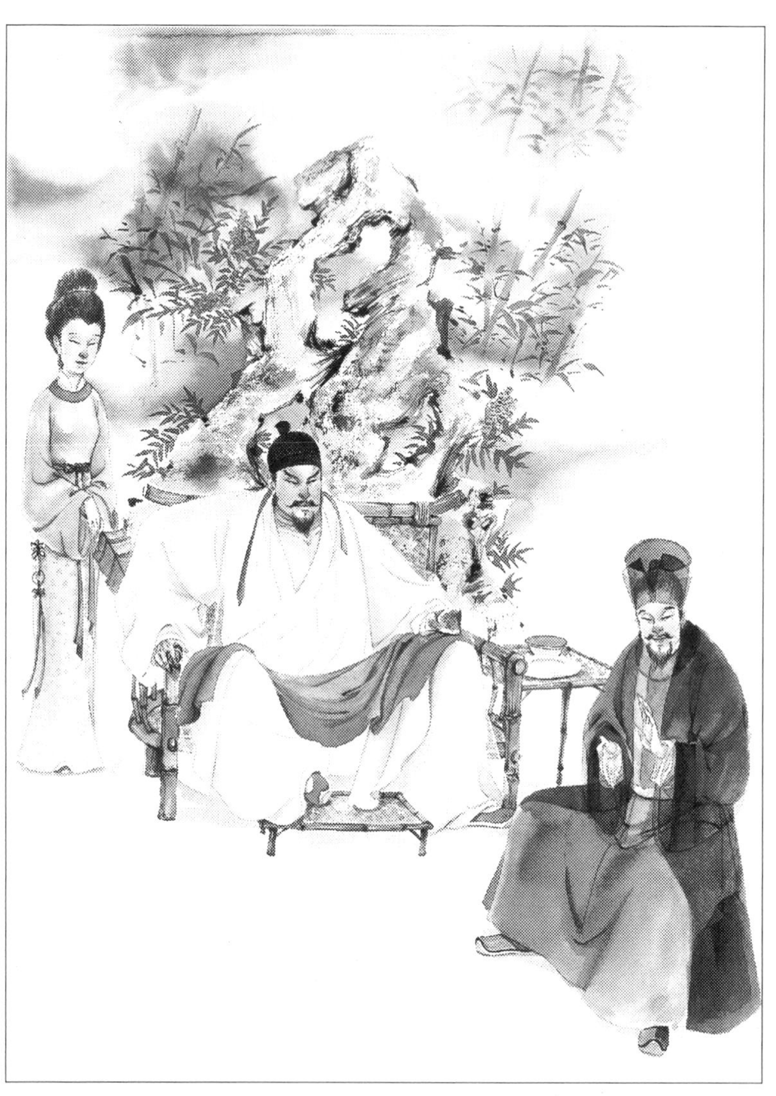

都牢記在心裡，暗暗地生氣。

此回劉璉直接上奏章給明太祖，顯然是不把他胡惟庸放在眼裏，而且劉伯溫足智多謀，誰曉得他下一步棋怎麼走。胡惟庸決定先下手爲強。他腦筋一轉，立刻想到一著毒計，趕緊跑去見明太祖：『啓奏陛下，劉伯溫是否上了一個奏章，關於談洋一帶鹽梟爲亂之事？』

『對啊，我正準備處理。』

『陛下可知他既然退隱田園，爲何對談洋一地特別有興趣？』

明太祖一向多疑，他眉毛一挑：『你說呢？』

胡惟庸放低聲音，故作神秘道：『那是因爲談洋有王氣，被劉伯溫看中了，準備當墓地，地方人民不肯給，他就挾怨報復。』

胡惟庸這一招很毒，正好命中明太祖心病，明太祖總擔心明朝未來的王業。劉伯溫擅長風水，懂得尋龍探脈，靠不住他眞的找到一個俗稱『生龍口』，影響到後代子孫的發旺富貴，甚且威脅朱家帝業。

明太祖雖然沒有治劉伯溫的罪，卻把他的祿給取消了。劉伯溫接到消息，著急地趕到京師，向明太祖請罪。

明太祖嘴裏沒說什麼，但是臉色極爲難看，完全不是打天下之時，拉著劉伯溫的手老先生長、老先生短叫個不停的親熱。

劉伯溫曉得明太祖心中有疙瘩，他好難過，不明白爲何耿耿忠心，竟然落此下場，只能說明太祖是『以小人之心度君子之腹』，他也不敢再回青田老家，唯恐人一離開京師，胡惟庸又再編造什麼新的謠言。

過了沒多久，明太祖任命胡惟庸爲宰相，劉伯溫一聽之下，大驚失色，頭暈目眩，他跌跌撞撞倒在床上，氣若游絲道：『老天，但願我的眼光不準，否則，天下蒼生完矣！』

劉伯溫這一病，病得可不輕，明太祖特地派了人，送他回青田老家養病。

在劉伯溫啓程以前，胡惟庸故作好心，找了一個醫生來，按了脈，抓了藥。劉伯溫服了藥，頓時覺得胸口發悶，好像有一個拳頭般大的石頭鯁在胸中，不上不下，隱隱作痛，沒多久，劉伯溫便撒手西歸，享年六十五歲。

劉伯溫是卓越的政治家，傑出的思想家。可惜的是，和諸葛亮一般，後代人們最熟悉的，似乎是他擅長風水，能夠預測未來。相傳燒餅歌，便是劉伯溫所作。

據說，有一天，明太祖在內殿，正吃燒餅吃得很香，內監上報：『國師劉伯溫進見。』

明太祖忽然想試試劉伯溫的能耐，他用一只碗，把燒餅蓋住，再喚劉伯溫進來。

劉伯溫行禮過後，明太祖問道：『先生深明數理，可知碗中是何物件？』

劉伯溫掐指算來，不慌不忙回答：『半似日兮半似月，曾被金龍咬一缺，此食物也。』

明太祖驚喜道：『你眞有一套，那你能不能推算天下後世之事如何？』

『茫茫天數，我主萬子萬孫，又何必問哉？』

明太祖不放鬆：『雖然自古興亡原有一定，況且天下非一人之天下，唯有德者能享之，言之又何妨？』

劉伯溫便說了：『洩露天機，臣罪非輕，請陛下恕臣萬死，方敢冒奏。』

『賜以免死金牌。』明太祖立刻答應。

接著，劉伯溫用歌謠隱語預言明朝清朝兩代之事，因爲是明太祖正在吃燒餅時所作，所以稱之爲燒餅歌。

另外，民間傳說，推背圖也是劉伯溫所作，也有人說是唐朝李淳風與袁天綱共同編著的圖讖，預言歷代變革興衰之事，一共有六十幅圖，每幅附七言詩一首，其中的詩句都在可解與不可解之間，撲朔迷離，圖中的數字，竟然被現代人當成簽『六合彩』（賭博）的明牌，劉伯溫地下有知，若是發現自己成爲指點迷津的大師，眞不知如何作想。

閱讀心得

【第681篇】明太祖灌宋濂酒。

明太祖即位以後，爲了確保大明江山，他是費盡心機，人也變得神經過敏，猜疑心極重。在衆多功臣之中，宋濂算是明太祖最信得過的。宋濂爲人拘謹老成，因爲他是太子的老師，經常出入宮廷。但是口風極緊，從來絕口不提宮中之事，若是有人問得急，他就用食指在唇中一撮『噓——』並且回頭指著他房間掛著的木牌——『溫樹』。

有一回，明太祖突發奇想，他自言自語道：『知人知面不知心，別看宋濂一副道學先生的模樣，誰知他背後如何。』於是，明太祖派一個偵探，偷偷地跟在宋濂的後頭，把他的行蹤一五一十記錄下來。

由於宋濂是個謹厚的君子，他的生活單調無趣，乏善可陳，只是有一次，請了幾個朋友小酌。

明太祖心想，這倒新鮮了。宋濂一向沒有酒量，能躲就躲，明太祖最愛尋他開心，把個老實人嚇得倉皇失措。曾經有一次，明太祖連灌他三大盃，宋濂不敢違抗君命，皺著眉頭三盃下肚。

即刻之間，宋濂醉得滿臉通紅，東倒西歪，連路都走不穩，而且連連作嘔。

明太祖覺得捉弄老實人，眞是有趣，笑得前仰後合，難得身邊還有如

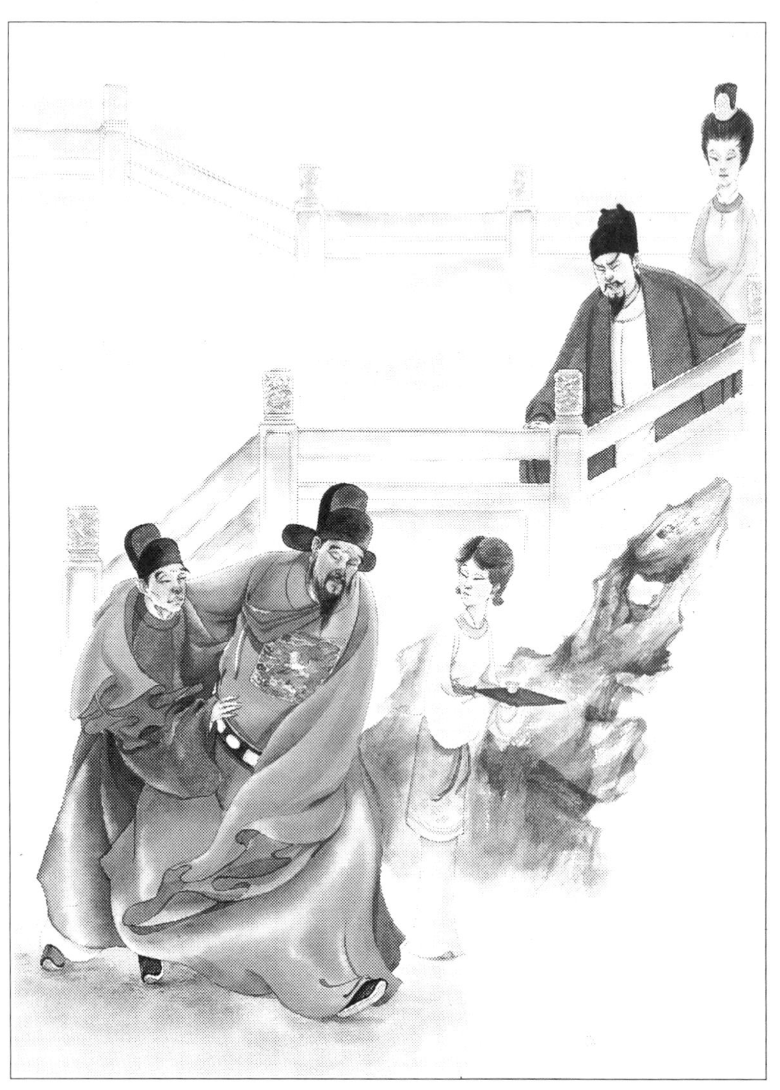

此忠厚老臣，不過，玩笑可能開過頭了，宋濂臉色由紅轉爲白，全無一點血色，整個人搖搖晃晃地，好像馬上會昏倒。

因此，明太祖在哈哈大笑以後，親自調甘露於湯，製成解酒湯，先啜了一口，再遞過去給宋濂：『這個喝了能夠治療疾病，延年益壽，願與卿共之。』

事後，明太祖並且寫了一章楚辭，紀念這件事，同時，命詞臣賦『醉學士詩』，表示君臣和樂也。

從此以後，宋濂每見明太祖要向他敬酒，即刻發窘，而明太祖最愛見他尷尬的模樣，凡有宴會，總是命宋濂坐在身旁，歡喜逗逗他玩。

由於有這麼一段故事，明太祖得到密探報告宋濂和朋友喝酒，大爲驚奇，心想宋濂昨晚竟然喝了酒，若是問他，他一定不肯說的。

不料，第二天，明太祖問宋濂有沒有喝酒，宋濂一點也沒有隱瞞，他一本正經地回答：『沒錯，是喝了一小盃。』

『坐客有些什麼人？』明太祖追問。

『有茹太素、章溢……』宋濂一口氣報了五六個人名，完全與明太祖手中的資料相同。

『都用了些什麼菜？』

明太祖眞是打破砂鍋，非要問到底不可。

『燉了一鍋雞湯，還有醋溜魚、生炒鱔魚絲、芙蓉雞片，炒了一盤青菜。』

宋濂不慌不忙，一一交代清楚。

明太祖十二萬分地滿意，他拍拍宋濂的肩膀道：『很好，很好，你是從來不欺騙朕的，十分難得。』

接著，明太祖又出了難題：『既然你一切不騙朕，那你告訴我，朝廷的群臣之中誰好，誰不好，你爲我分析一下。』

宋濂思索了一會兒道：『伯溫是個好人，茹太素忠心爲國……』

他一連列舉了幾位臣子，明太祖有些不耐煩道：『你別光揀好的說，也該說一說不好的，讓朕有所警惕才是。』

宋濂一拱手道：『皇上教訓的是，不過，凡是善的，與臣爲友，其不善者，臣不能知也。』

明太祖見他一臉老實忠厚的神色，想想他說的，的確也有道理，就不忍心再爲難老實人了。

宋濂擔任過侍講學士、贊善大夫，修過國史，就是沒有實際執政，也不願意擔任行政，他最主要的工作是充當太子的老師，除了太子朱標，晉王、楚王、靖江王都是他老先生的學生。

宋濂教導學生時，一改平日憨厚老先生的作風，要求十分嚴格，他始終認爲『教不嚴師之惰』，何況他的學生非同凡人，而是將來要負起國家重責大任的君主。

宋濂教導太子，前前後後，共有十多年。過去的歷史，可以說是最好的教材，他凡是提到有關政教，或是前代興亡之事，必定會拱手曰：『當如是。』或者『不當如彼。』

皇太子也非常尊敬宋濂，開口閉口都是師父怎麼說，師父怎麼說。除了教育皇家子弟以外，洪武五年之時，明太祖留意文治，挑選了幾十名優秀的儒生，包括張唯等數十人，都是不可多得的青年才俊，到宮中文華堂讀書，由宋濂親自教導。

此外，宋濂也擔任明太祖的老師，在打天下之時，宋濂就時常爲明太祖上課，講授治國平天下的道理。明太祖心神不寧時，也會請教宋濂，宋濂總是勸以：『養心莫過於寡欲，寡欲則心清而身泰。』

像宋濂這麼一個老成篤實、清心寡欲的謙謙君子，竟然也會被明太祖意圖殺害，欲知後事，請待下回分解。

閱讀心得

【第682篇】

馬皇后義救宋濂。

宋濂是明朝開國文臣排行榜第一名，他除了擔任太子老師，凡是要撰寫郊社宗廟山川百神祭典的祭文，或是需要有人撰寫廟堂功勳碑記刻石，大家第一個想到的人選，就是宋濂。

久而久之，宋濂大名遠播，不但國內士大夫登門拜見，乞求贈送文章者絡繹不絕，外國貢使亦久聞其名，只要來到中國，一定不忘請問：『宋先生起居無恙否？』把宋先生當成國寶級大師。

鄰近高麗、安南、日本等仰慕華風的學者，也紛紛託人搜購宋先生的文集，並且尊稱爲『太史公』。

宋濂有門獨到的絕活，他能夠在一顆黍上刻好幾個字，普通人湊近了看，也看不清楚。一直到年紀大了，他還是不近視，不老花，視力好得很，讓他能夠充分享受閱讀之樂。

宋濂眼力好，脚勁在上了年紀之後，卻大不如前，明太祖每次都命令宋濂的兒子宋仲珩、孫子宋愼左右扶持，當時前者擔任中書舍人，後者擔任儀禮序班。明太祖呵呵笑道：『卿爲朕教太子諸王，朕亦幫忙卿教誡子孫。』

宋濂父子與明太祖相處甚歡，一時傳爲佳話。

明太祖對宋濂的品德，誇讚不已，尤其在經過數次試驗，宋濂都安全過關以後，明太祖更當衆說：『朕聽說，太上爲聖，其次爲賢，其次爲君子，宋濂事朕十九年，未嘗有一句假話，或是批評任何人的過失，非止是君子，眞可以說是賢者。』

宋濂要退休的前一年，明太祖賜給他一匹上好的綺帛，並且問道：『你多大年歲了？』

『臣今年六十有八。』

『好！那你把這匹綺帛藏個三十二年，可以製一件百歲衣。』明太祖仰首大笑。

還沒有等到製百歲衣，才過了四年，宋濂就倒了楣，他的長孫宋愼與胡惟庸案扯上關係，明太祖氣得牙齒咯咯作響，要殺宋濂。

馬皇后很是著急，她委婉地對明太祖說：『就是平常一個老百姓，家裏頭爲子弟請老師，也一定是講究禮節，有始有終。做皇帝的，怎可隨便殺掉老師，更何況，宋濂退休以後，住在金華老家，他怎知孫子在京城裏做些什麼。』

明太祖聽不進去，在中國古代，連坐是常有的事，所謂連坐是一人犯罪，與犯人有關的人也要牽連受刑，用以阻嚇人們不敢犯罪，尤其不敢造反，因爲一造反，經常是連誅九族。九族，依照明律是直系親以自身上推而父、祖、曾、高，再自本身下推而子、孫、曾、玄爲止，旁系親以自本身推而兄弟、堂兄弟，再從兄弟、族兄弟爲止。

明太祖心想，就算宋濂事先不知情，單單就管教子孫不嚴格這一點，就足以判個死刑。

馬皇后好著急，又不敢多開口，因爲以明太祖的脾氣，講了也是白講。馬皇后雖然出身貧賤，沒受過教育，卻是好學不倦，在明太祖打天下時，她跟在身旁，看見文書，便央求人家教她識字，等到當了皇后以後，更找了女官正式讀書，尤其歡喜聽古代婦女賢德的故事。

明太祖常在衆人面前說：『皇后好比唐朝長孫皇后般賢慧。』並且總是不忘提及當年馬皇后背著人，偷拿剛出爐的烙餅給他，結果被人瞧見，把烙餅往胸口一塞，把前胸燙爛的往事。

馬皇后則不勝害羞，央求明太祖別再提，並且說：『我怎敢與長孫皇后相比，常言道夫婦相保容易，君臣相保困難，陛下不忘我貧賤時過的日子，但願陛下也不忘與群臣過的艱苦日子，有始有終，這才是好事。』

這一回，明太祖要殺宋濂，馬皇后眞是急壞了，尤其宋濂一向悉心教導她的兒子，她怎能見死不救呢？

她苦苦思索，長孫皇后碰到這種事是如何處理的？她記得，女官曾經講過，有次唐太宗回到後宮，氣得要殺田舍翁（魏徵），因爲『魏徵這個老傢伙，總在朝廷上侮辱朕，朕非殺了他不可。』

長孫皇后一言不發，換上了大禮服，站在庭階之上，太宗覺得好奇怪，長孫皇后解釋道：『妾聞主明臣直，今天魏徵能夠如此正直，都是因爲陛下的緣故，怎能不賀？』

長孫皇后的高帽子一戴，唐太宗笑逐顏開，也保住了魏徵的老命。

馬皇后很喜歡這個故事，但是，她不能依樣畫葫蘆，因爲她和明太祖都不是如此風趣的人，尤其明太祖簡直毫無幽默感，整天疑神疑鬼，擔心這個人那個人要害他。

於是，當天晚上，馬皇后伺候明太祖用餐時，不肯喝酒，也不肯夾肉吃，只是低著頭，夾一點兒青菜，默默地扒飯。

明太祖問她：『你今天怎麼啦？是不是那兒不舒服，要不要請醫生看看？』

馬皇后神情愀然地搖搖頭說：『不必，只是心裏很難過。』

『爲什麼？』

『沒什麼，爲宋先生作福事罷了。』馬皇后說著說著，眼圈都紅了。明太祖也很難過，胃口也沒了，放下筷子走進屋裏，早早歇著了。

第二天，明太祖赦免了宋濂的死罪，把他貶到茂州。宋濂到底年紀大了，受不住驚嚇，第二年死在夔州，年七十二歲。

閱讀心得

【第683篇】

馬皇后的大腳丫。

在上一篇之中，我們介紹了馬皇后義救宋濂的故事。

馬皇后慈悲心腸，救人無數，而且讀書受教育以後，很會用腦筋，講出來的話，極有見地，讓明太祖十分佩服。

有一次，參軍郭景祥守和州，消息傳來，郭景祥有子不肖，竟然拿著矟要殺老爸。

中國人一向講究百善孝爲先。明太祖聞言大怒，立刻就要傳旨，殺掉郭景祥之子。

馬皇后一旁勸阻：『郭景祥只有一個兒子，殺了豈不絕後？謠言未可輕信。』

結果後來詳細調查，果然是子虛烏有，若是明太祖脾氣一發，表面上是爲郭景祥教訓逆子，卻斷了郭景祥的後，郭景祥一定恨透了明太祖。

另一回，李文忠守嚴州，楊憲告他不法，明太祖一個命令，就準備把李文忠調回來處罰。

馬皇后又扯扯明太祖的衣袖：『嚴州在敵人的邊境，陣前易將不是好事，何況文忠一向小心謹慎，楊憲所講的，未必是實情。』

明太祖聽了馬皇后的話，暫時忍下怒氣，沒多久，李文忠的捷報傳來，

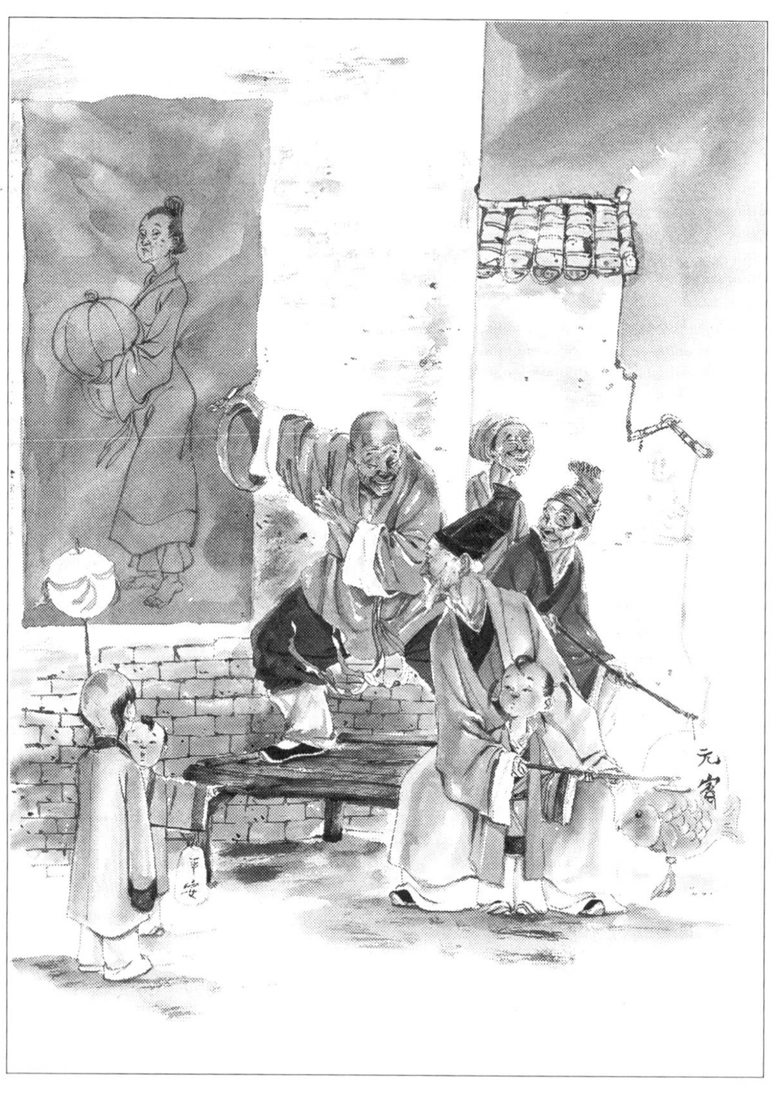
元宵
平安

他不禁對老婆說：『還是你有理。』

馬皇后既賢淑又明理，的確是不可多得的賢內助。馬皇后沒有顯赫的家世，她父親是個亡命之徒，自小過繼給郭子興當養女，是個窮丫頭出身。

中國人一向有見不得人家好的習性，因此，當馬皇后貴爲皇后，就有那好事之徒在背後指指點點，嘲笑她出身不佳，數落她長相難看，粗手大腳，尤其是那雙大腳，不知惹來了多少閒話。

自從李後主倡導纏足以來，宋朝美人的腳，就該是『掌上輕』，能讓男子提在手中把玩撫摩。

當時有身分的婦女，如果聽人背地裏，批評自己是大腳，恨不得羞到去死，洞房花燭夜，若是新郎一句『哇，好大的腳！』新娘便窘得不敢露面。當時，愈是體面的人家，女兒的腳便裹得愈小。

不過，在元朝，只有有錢人家才裹小腳，裹了小腳之後，走路嬝嬝婷婷，婀娜多姿，但也極其不方便，像馬皇后小時要做種種粗活，當然不能裹小腳。

尤其淮西地方苦，馬皇后當丫頭時，不但要下田，洗衣做飯、倒茶掃地樣樣來，格外顯得粗壯，南京居民常以此取笑馬皇后。

一年元宵節，不知是那個缺德鬼，畫了一張漫畫，一個大腳丫的女人，光著腳，手上捧著一個大西瓜，模樣又呆又蠢，影射馬皇后：『淮西婦人好大腳！』

一時之間，人人傳閱，到處起鬨，吃吃地笑著。明太祖正好微服出巡，一看之下，血氣翻湧，頭都氣昏了：『這這……這是什麼人畫的？』查了半天，查不出誰幹的，明太祖乾脆下令把整條街的人都給殺了，看誰還敢拿皇后的大腳尋開心。

明太祖爲了維護馬皇后的名譽而殺人，可是，馬皇后並不領情。馬皇后是菩薩心腸，她反倒回過頭來勸明太祖：『我本來是大腳嘛，老百姓隨便說說，也不見得有什麼特別的惡意。』

從這一點看，馬皇后的胸襟度量眞非一般人所及。

通常宮廷裏的后妃，總是忙著爭寵吃醋，馬皇后不來這一套，她倒是常常詢問明太祖：『現在天下人民安嗎？』『安啦。』明太祖不耐煩對馬皇后說：『這個不是你應該問的問題。』

明太祖心想，女流之輩，管這些事幹嘛。

馬皇后倒是理直氣壯的說：『陛下是天下父，妾爲天下母，子民的生活，豈可不問？』

若是遇到天災，馬皇后就率領宮人節約，不吃葷菜，只吃素食。她對自己很苛，對他人則寬厚。

朝廷的奏事官在早朝散會以後，依慣例在朝廷裏用餐，馬皇后派宦官取了一份餐點來，嘗了一口，吐著舌頭：『眞是難吃。』說著，她便跑去找明太祖：『爲人君者，自奉妄薄，對待賢士必須寬厚。』

於是，明太祖便下令改善在朝廷值班官吏的飲食。

馬皇后也關心太學生家眷的生活，她問明太祖：『國家一共有多少生徒？』

『幾千名吧！』

『那可稱得上是人才濟濟，但不知諸生有沒有國家發給的廩食？他們在家裏的妻子，又該如何過活？』

『我倒從來沒想到這個問題。』

從此以後，太學生一律發給家糧。

洪武元年，徐達攻克大都，押送大批珠寶到南京。馬皇后一點也沒見獵心喜，她不動聲色問明太祖：『元朝有這許多寶物卻不能守，什麼才是帝王的寶貝？』

『朕知皇后的意思，只有賢人才是國家的寶貝。』

『誠如陛下所言，妾與陛下起自貧賤，能有今日，實爲不易，願與賢人共治天下。』

明太祖也深以爲然，命令女史把馬皇后的話記錄下來。

洪武十五年（西元一三八二年），馬皇后病了，而且病得相當嚴重，許多大臣爲她祈禱，並且代求良醫，馬皇后是個體貼入微的人，她心想，南京人嘲笑她淮西大腳，都難逃一死，要是那個御醫，沒把她的病醫好，眞不知明太祖會怎麼辦御醫。

因此，馬皇后堅持不肯看醫生，她說：『死生，命也，禱告有什麼用，若是服了藥沒效，妾更不願意因此怪罪醫生。』

她病危之時，明太祖問她有何遺言，馬皇后虛弱地說：『願陛下求賢納諫，做事有始有終，臣民各得其所。』沒多久，馬皇后與世長辭，年僅五十一。若非她堅持不看醫生，可能不如此早卒。

明太祖傷心極了，慟哭流涕，謚曰孝慈皇后，明太祖親自爲馬皇后寫了一首輓歌：『我后聖慈，化行家邦，撫我育我，懷德難忘，於萬斯年，毖彼下泉，悠悠蒼天。』

此後，明太祖再也沒立過皇后，馬皇后在明太祖心目之中，是不朽的。

閱讀心得

【第684篇】鄭士利與空印案。

明太祖在打天下之時，很能拔擢人才，即位以後，又大封功臣。但是，心狠手辣，雄猜陰險，眞是可怕的老狐狸。一連發生了駭人聽聞的四大獄：『空印案』、『郭桓案』、『胡惟庸案』與『藍玉案』。前二獄是懲治貪污，後二獄是殺戮功臣。

我們先從『空印案』談起！所謂空印是每一年，地方長官到京城裏的户部覈交錢糧軍事等事情，因爲道途遙遠，所以往往預先把蓋好印的空白文書拿到戶部，彼此核查無誤以後，再把正確的數字填上去。此事習以爲常，向來都是如此。

不知怎麼，這件事突然被明太祖知道了，氣得不得了。明太祖自小嘗遍人世艱辛，看多了貪官污吏的嘴臉，他一口咬定，其中必定有鬼，準是官吏勾結作弊，下令徹查嚴辦。

明太祖下令：『凡是掌管大印者論死，副佐則打一百板，戍遠方。』

明太祖在氣頭上，丞相、御史個個嚇得臉上灰白，不敢上諫。

正在此時，卻有個不怕死的鄭士利上書，因爲他的哥哥鄭士元也因爲空印案，被關在大牢裏。

鄭士元，原是剛直有才學的年輕人，他高中進士以後，擔任湖廣按察

使僉事。荊襄一帶，時常有士兵掠奪良家婦女，歷來的官吏總是睜一隻眼，閉一隻眼，當作沒有看到。

鄭士元新官上任，頭件事便是去找帶隊的將領理論，告訴他：『請立刻放出被擄走的民婦，免遭地方人士非議。』

將領被鄭士元的大氣凜然所震懾，眞的命令士卒交還婦女，被放出的婦女，不想竟有苦盡甘來的一天，又是哭又是笑，都把鄭士元當青天老爺。

鄭青天沒多久又亮了一手。地方上有冤獄，雖然經過御史下鄉調查，這個御史也是一個胡塗蟲，草草定讞。

眼看著就要錯殺好人，鄭士元不眠不休，詳細調查來龍去脈，以老獄斷案的熟練筆法，寫了一篇頭頭是道的翻案文章，使得冤情大白。

鄭青天的名聲更加廣爲流傳。不巧碰到空印案，他是掌大印的副貳，脫不了關係，被關入大牢。

鄭士元被逮捕之前，對著弟弟鄭士利黯然道：『聖上有所不知，才會以空印爲大罪，可惜沒有人敢向他解釋，否則以聖上之英明，豈會不能了解？』

士元士利一向手足情深，都是有俠義心腸的血性漢子，士利尤其崇拜老哥，對於他因此入獄，非常不能心服。他轉念一想：『哥不是主印者，頂多發配邊疆，至於因此而被判死罪的，那才眞正是冤枉了。』

激於義憤，鄭士利研墨濡筆，挑燈夜戰，一個晚上，寫了幾千字解釋空印案。

他婉轉地表明：『凡是錢穀的數目，府必合省，省必合部，從省到部，遠的六七千里，近的也要三四千里，如果要等冊成然後用印，這一來一往，非要一年以上不可。所以，向來都是先用印再完冊。這是權宜之計，那裏算得上滔天大罪？』

筆鋒一轉，鄭士利又含蓄的批評：『而且國家立法，必先明示天下，然後才可以處罰犯罪者。現在，立國至今，從來沒有一條法律，禁止先用印，承辦這項工作的人蕭規曹隨，也不曉得到底犯了什麼罪，今天一旦誅之，如何讓人心服？』

『朝廷擔任郡守的賢士，都是數十年奮鬥有成，通廉達明的英才，說殺就殺，豈非草菅人命，我不明白陛下爲何以不足罪之罪而傷害國家可用的棟樑？臣眞是爲陛下深深惋惜。』

鄭士利的話，句句有理。可惜，在專制制度之下，尤其是在明太祖的強烈權威心理之下，不但聽不進去，而且可能爲自己惹來禍害。

鄭士利卜了一卦，卦上是說『可矣』。鄭士利卻明白，奏章一上，凶多吉少。然而，他又忍不住想向明太祖講個清楚，可能明太祖忽然頓悟，那就可救好多人。

他就這樣陷在矛盾之中，最後，終於決定，把奏章送上去，卻也不免哀哀痛哭，擁抱眞理竟是如此痛苦。

鄭士元的兒子，也是士利的姪子，從來沒見叔叔如此失常。他關心地問：『也許小輩不該過問，但是，叔叔到底爲何如此痛苦不堪？』

士利沉痛地撫著姪兒的背：『我有奏章想要呈給皇上，我自知，觸怒天子必然惹禍。不過，若是殺我一個人，能夠救活數百人，死亦何恨？』

鄭士利終於還是把奏章呈上。

結果，不出所料，明太祖龍顏大怒，並且派了丞相與御史來責問鄭士利：『究竟是誰指使你？』

鄭士利苦笑道：『我讀的書，足夠讓我爲國盡言責，那有什麼人在背後主謀？』

後來，明太祖還算慈悲，沒要鄭士利的腦袋。不過，罰總是要罰的，先打爛屁股，然後與鄭士元一塊發配邊疆。

因爲空印案，明太祖將長吏論死者數百人，充軍者又數百人，只因爲他懷疑官吏勾結作弊，雖然他沒有掌握實際證據，當時，最有名的好官，濟寧知府方克勤（著名大學問家方孝孺的父親），也死在這案內，方孝孺的故事，我們以後再談。

閱讀心得

【第685篇】

轟動明初的郭桓貪汙案。

明朝洪武年間的四大獄，除了空印案以外，郭桓貪汙案更是轟動一時。

郭桓是戶部侍郎，洪武十八年，有人告發北平二司官吏李彧、趙全德與郭桓串通舞弊。

明太祖赫然震怒，下令徹查，絕不寬貸。結果這一查之下，眞是不得了，六部（吏、戶、禮、兵、刑、工）左右侍郎以下全處死刑，追贓七百萬。

事情發展到此，尚未告一段落。就像滾雪球一般，由於被告的供詞牽涉到各省官吏，其間不乏屈打成招者，也有那存心不良的被告，自知難逃一劫，要死也拉一個墊背的。於是，全國各地的中產之家差不多都傾家蕩產，家破人亡。

郭桓案傷透了中產階級的心，尤其審判官草菅人命，任意羅織罪狀，讓人沒法服氣。

明太祖也發覺郭桓案似乎處理得太過分了，爲了平撫社會怨氣，他自己寫了詔書，一條條列舉郭桓貪汚罪狀。照明太祖的說法，以郭桓的情形，追贓七百萬還是意思意思，眞正嚴格算起來，至少該有二千四百萬。因此，這幾萬人是死有餘辜。

話雖如此，明太祖還是斬了一批審判官平息衆怒。反正，審判官也是官吏，他同樣不信任。

過了一年，洪武十九年，明太祖又特地解釋：『自從我朝開國以來，浙江兩廣福建所有司官，沒有一個人能夠做到任期屆滿，都在中途犯了貪贓枉法的罪。』由此可見，郭桓案殺的人都是該死。

想想看，二十年沒一個沒貪污。一方面固然是貪污的惡行普遍，難以根治。另一方面也是明朝法網太密，往往冤枉了好人。

明太祖最最痛恨官吏貪污，凡是被逮到的，鞭笞、苦役、剝皮、抽筋，甚且抄家滅族。這樣的當官，不但沒趣味，而且總是活在強烈恐怖氣氛之中。所以讀書人能躲就躲，儘量藏在山野之中，不願意入朝爲官。明太祖又生氣了，他指責：『近日有奸貪無福小人，故意誹謗，都說朝廷官難做。』

儘管明太祖不肯承認，朝廷官難做總是事實。在貴溪地方儒士夏伯啓夙有文名，卻發誓不入朝爲官，爲了表明決心，他叔姪二人像逃避兵役一般，竟然雙雙砍掉左手大拇指。

貴溪地方官爲了表功，把夏伯啓叔姪二人押到京城受審。明太祖親自問案：『你們寧可斷手指不願意爲官，我問你，昔世亂居何處？』

『紅寇爲亂時，避兵於福建江西之間。』

這『紅寇』二字，不偏不倚，正好刺著明太祖的心病，因爲他正是紅寇出身。

明太祖氣虎虎地說：『朕知夏伯啓心懷忿怒，故意誣指朕取得天下不由正道，應該籍沒其家，以免狂妄愚夫效法。』

所謂『籍沒其家』，指的是登錄其財物而沒收入官，就是俗稱抄家。當然，夏伯啓叔姪也難逃一死。

明太祖的嚴酷，同樣也表現在對付自家人身上。

明朝洪武年間，太祖下詔與西番互市，就是互相交易做生意。在陝西、四川設立茶馬司，命令番人納馬易茶，用西番特產的駿馬交換中原的茶葉。西番人吃多了油油膩膩的大塊肉，特別欣賞能幫助消化的茶葉。

這椿生意是政府專賣的，嚴禁私茶出境。偏偏有個人，非要插手不可，他就是安慶公主的夫婿，歐陽倫駙馬爺。

歐陽倫仗恃自己是皇上的乘龍快婿，安慶公主又是馬皇后鍾愛的女兒，完全無視於規定，公然把茶運到西番。

沿途官吏明知歐陽倫犯法，誰也不敢吭一聲氣。歐陽倫若只做生意就罷了，更過分的是，他要求地方官派車幫忙運茶，而且不支分文。

歐陽倫是個細皮嫩肉的小白臉，當然不會親自押運茶葉。這些事，他通常都是交給家人周保去處理，他只管在家，舒舒服服地數鈔票。

周保是個標準勢利小人，打著歐陽倫的旗號，對地方官吆來喝去，吃香的，喝辣的，要求的車輛數目一點也不能少。

有次，周保大模大樣到了蘭縣，對蘭縣河橋司巡檢吩咐：『明天我要五十輛車。』

『可是，我們蘭縣是個小地方，那有五十輛車，頂多只能湊個二十輛。』

蘭縣吏趕緊討饒。

『調不到車是你的事，你不會去鄰縣借？』周保一步也不肯讓。

『可是，私運茶葉本來就是違法的事。』蘭縣吏不服氣的嘟嘟囔囔。

『你說什麼？你這話若是被駙馬爺聽到該如何？』周保大怒，一聲喝令：『左右拿下，好好教訓這廝！』

一旁的壯漢，跳起身來，叉開五指，往縣吏臉上只一掌，把縣吏打個踉蹌，直撞到牆，腫了一個大包，壯漢繼續發狂似地掄打，直打得縣吏鼻子歪了，臉也青了，身上淋淋漓漓全是血，差點兒送上西天。

周保挿起雙袖，揚長而去，丟下一句狠話：『下次要你的命。』

蘭縣吏愈想愈氣，自知惹惱了周保，一定沒完沒了，心一橫，跑到京師告狀。

明太祖聞訊大怒：『這個歐陽倫好大膽子！』立刻下令把歐陽倫、周保一併處死，茶貨充公。

有人前來說情：『歐陽倫固然罪有應得，不過，如此一來，安慶公主年紀輕輕便要守寡。馬皇后地下有知，一定十分傷心。』

明太祖根本聽不進去，照殺不誤，安慶公主只好當了寡婦。

閱讀心得

閱讀心得

閱讀心得

歷代・西元對照表

朝　　代	起迄時間
五帝	西元前2698年～西元前2184年
夏	西元前2183年～西元前1752年
商	西元前1751年～西元前1123年
西周	西元前1122年～西元前 771年
春秋戰國(東周)	西元前 770年～西元前 222年
秦	西元前 221年～西元前 207年
西漢	西元前 206年～西元 8年
新	西元 9年～西元 24年
東漢	西元 25年～西元 219年
魏(三國)	西元 220年～西元 264元
晉	西元 265年～西元 419年
南北朝	西元 420年～西元 588年
隋	西元 589年～西元 617年
唐	西元 618年～西元 906年
五代	西元 907年～西元 959年
北宋	西元 960年～西元 1126年
南宋	西元 1127年～西元 1276年
元	西元 1277年～西元 1367年
明	西元 1368年～西元 1643年
清	西元 1644年～西元 1911年
中華民國	西元 1912年

國家圖書館出版品預行編目資料

全新吳姐姐講歷史故事. 31. 明代/吳涵碧 著.
--初版.--臺北市；皇冠，1995〔民84〕
面；公分（皇冠叢書；第2388種）
ISBN 978-957-33-1167-6（平裝）
1. 中國歷史

610.9　　　　　84000130

皇冠叢書第2388種

第三十一集【明代】

全新吳姐姐講歷史故事〔注音本〕

作　　者—吳涵碧
繪　　圖—劉建志
發 行 人—平雲
出版發行—皇冠文化出版有限公司
台北市敦化北路120巷50號
電話◎02-27168888
郵撥帳號◎15261516號
皇冠出版社(香港)有限公司
香港銅鑼灣道180號百樂商業中心
19字樓1903室
電話◎2529-1778　傳真◎2527-0904
印　　務—林佳燕
校　　對—皇冠校對組
著作完成日期—1992年01月01日
香港發行日期—1995年09月25日
初版一刷日期—1995年10月01日
初版三十二刷日期—2021年05月
法律顧問—王惠光律師

讀者服務傳真專線◎02-27150507
電腦編號◎350031
ISBN◎978-957-33-1167-6
Printed in Taiwan
本書定價◎新台幣150元/港幣45元